Le garde-manger
BORÉAL

Édition : Isabel Tardif
Éditrice déléguée : Anne-Louise Desjardins
Révision : Lucie Desaulniers
Correction d'épreuves : Joëlle Bouchard
Conception graphique : Christine Hébert
Infographie : Johanne Lemay

Création des recettes : Arnaud Marchand
    et Jean-Luc Boulay
Rédaction des recettes : Érick Demers
    et Anne-Louise Desjardins
Stylisme accessoires : Érick Demers
Stylisme culinaire : Arnaud Marchand,
    Érick Demers, Jean-Luc Boulay
Création des accords mets et vin :
    Anne-Louise Desjardins

Photos : André-Olivier Lyra
Sauf : p. 4-5 : Patrick Lemieux ; p. 6-7 : Shutterstock ;
    p. 14 h, p. 15 c : Archives Jean-Luc Boulay ; p. 15 b :
    Anne-Louise Desjardins ; p. 17 hg : Anne-Louise
    Desjardins, hd : Gourmet sauvage – Karine Allard, bg :
    Les Jardins sauvages ; p. 20 c : Archives Jean-Luc Boulay ;
    p. 21 (algues, argousier, aronie) : Shutterstock ; p. 22
    (camerise) : indigosuperfruit.com, (carvi sauvage, cassis,
    églantier [rosier sauvage], épinette noire [poudre], fleur
    de mélilot) : Shutterstock, (cœurs de quenouilles) : Wild
    Food Girl ; p. 23 : (huiles essentielles Aliksir, oseille
    sauvage) : Shutterstock, (piment d'argile) : Quitokeeto ;
    p. 24 (raifort sauvage, sapin baumier, sureau noir, sirop
    de bouleau ou de merisier) : Shutterstock ; p. 29 hg :
    Shutterstock, hd : Domaine Acer, bd : Ferme Caprivoix ;
    p. 30 hg, hd et bd : Shutterstock ; p. 81 hg : Mathieu
    Dupuis, hd : Anne-Louise Desjardins ; p. 82 hg : Élevages
    Turlo ; p. 133 hd : Shutterstock, bg : Bernard Dagenais ;
    p. 134 hg et bg : Shutterstock, hd : Anne-Louise
    Desjardins ; p. 185 hg, bg et bd : Shutterstock,
    hd : Baron Image ; p. 186 hg, hd et bd : Shutterstock ;
    page de garde arrière : Archives Arnaud Marchand.

Catalogage avant publication de Bibliothèque et Archives
nationales du Québec et Bibliothèque et Archives Canada

Boulay, Jean-Luc,

    Le garde-manger boréal : 80 recettes pour le découvrir et
le cuisiner

    Comprend un index.

    ISBN 978-2-7619-4738-1

    1. Cuisine québécoise. 2. Accord des vins et des mets.
3. Livres de cuisine. I. Marchand, Arnaud. II. Titre.

TX715.6.B68 2017   641.59714   C2017-940237-4

04-17

Imprimé au Canada

Dépôt légal : 2017
Bibliothèque et Archives nationales du Québec

ISBN 978-2-7619-4738-1

DISTRIBUTEURS EXCLUSIFS :

Pour le Canada et les États-Unis :
MESSAGERIES ADP inc.*
Téléphone : 450-640-1237
Internet : www.messageries-adp.com
* filiale du Groupe Sogides inc.,
    filiale de Québecor Média inc.

Pour la France et les autres pays :
INTERFORUM editis
Téléphone : 33 (0) 1 49 59 11 56/91
Service commandes France Métropolitaine
Téléphone : 33 (0) 2 38 32 71 00
Internet : www.interforum.fr
Service commandes Export – DOM-TOM
Internet : www.interforum.fr
Courriel : cdes-export@interforum.fr

Pour la Suisse :
INTERFORUM editis SUISSE
Téléphone : 41 (0) 26 460 80 60
Internet : www.interforumsuisse.ch
Courriel : office@interforumsuisse.ch
Distributeur : OLF S.A.
Commandes :
Téléphone : 41 (0) 26 467 53 33
Internet : www.olf.ch
Courriel : information@olf.ch

Pour la Belgique et le Luxembourg :
INTERFORUM BENELUX S.A.
Téléphone : 32 (0) 10 42 03 20
Internet : www.interforum.be
Courriel : info@interforum.be

Gouvernement du Québec – Programme de crédit
d'impôt pour l'édition de livres – Gestion SODEC –
www.sodec.gouv.qc.ca

L'Éditeur bénéficie du soutien de la Société de développement des entreprises culturelles du Québec
pour son programme d'édition.

Conseil des Arts   Canada Council
du Canada   for the Arts

Nous remercions le Conseil des Arts du Canada de
l'aide accordée à notre programme de publication.

Financé par le gouvernement du Canada
Funded by the Government of Canada | Canadä

Nous reconnaissons l'aide financière du gouvernement du Canada par l'entremise du Fonds du livre
du Canada pour nos activités d'édition.

Le garde-manger BORÉAL

80 recettes pour le découvrir et le cuisiner

Jean-Luc Boulay et Arnaud Marchand
Chez Boulay bistro boréal

Avec l'amicale complicité d'Anne-Louise Desjardins
Photos : André-Olivier Lyra

LES ÉDITIONS DE L'HOMME

Une société de Québecor Média

À NOTRE AMI RUDY DUCREUX,
UN ARTISAN GÉNÉREUX D'UN GRAND TALENT.
TU NOUS MANQUES...

TABLE DES MATIÈRES

PRÉFACE

Il faut souvent des gens venus d'ailleurs pour nous faire réaliser les richesses qu'on a juste sous les yeux et nous donner envie de les mettre en valeur. Jean-Luc Boulay, un chef cuisinier né en Normandie, est de ceux-là. Il faut dire que son beau-père l'a initié à la nature sauvage, à la chasse et à la pêche dès son arrivée au pays, en 1977. Depuis, la passion de Jean-Luc et sa curiosité à l'égard de la forêt boréale et de son immense potentiel culinaire ne l'ont plus quitté. Son second ouvrage, qu'il signe avec son associé, le chef Arnaud Marchand, veut rendre hommage à quelques-uns de ces trésors comestibles de nos forêts, qui commencent à peine à être découverts et utilisés par les Québécois.

J'avoue avoir longtemps eu des attentes peut-être pas toujours réalistes à l'égard des chefs cuisiniers québécois. Biologiste et chercheur spécialisé dans le potentiel santé et gourmand de la forêt boréale, je pensais que ces experts de la cuisine pourraient faire connaître facilement au grand public la diversité de notre terroir sauvage, contribuant en même temps à promouvoir une saine alimentation, en utilisant de façon logique ce qui pousse à côté de chez nous. Mais, trop souvent, je constate qu'on est encore bien loin de cet idéal, malgré ce qu'en disent les médias. La connaissance des chefs et leur utilisation de ces ressources exceptionnelles restent marginales.

Quand, par exemple, après une conférence, on me demande dans quel établissement on peut vraiment goûter la forêt, je reste perplexe. J'aimerais tellement pouvoir fournir des références et répondre simplement : « Allez à tel ou tel resto, vous y découvrirez un superbe potage aux légumes locaux, aromatisé avec du jasmin boréal ; vous y humerez du myrique baumier assaisonnant une ratatouille du Nord ;

vous y dégusterez une pizza aux fines herbes boréales et vous pourrez vous y délecter en fin de repas d'une infusion antioxydante de comptonie, avec ses notes subtiles de lavande et de laurier. » Malheureusement, bien rares sont les restaurants qui correspondent à cette description.

Mais, heureusement, les choses changent peu à peu. Il faut en remercier des visionnaires, comme le génial duo formé de Jean-Luc Boulay et d'Arnaud Marchand. À leur restaurant de Québec, Chez Boulay bistro boréal, ils jouent d'audace et de créativité en expérimentant une cuisine composée d'ingrédients sauvages issus du terroir nordique québécois. Ce faisant, ils sortent des sentiers battus et créent avec passion un courant culinaire encore inusité au Québec. Charmée, leur clientèle en redemande ! Une fois la curiosité éveillée, il suffit de l'entretenir au moyen d'un travail d'éducation et de sensibilisation qui permettra aux Québécois de pousser plus loin leurs découvertes et leur fera mieux connaître ces épices sauvages ou ces infusions nordiques qui rivalisent en vertus et en saveur avec les thés ou aromates asiatiques... sauf qu'elles poussent chez nous !

Voilà exactement ce que ces deux chefs généreux ont en tête ! Avec ce livre de recettes, mes amis Jean-Luc Boulay et Arnaud Marchand souhaitent justement partager leurs connaissances, afin de permettre au plus grand nombre possible de personnes de vivre des expériences gustatives typiquement boréales et, qui sait, d'inspirer d'autres chefs à en faire autant. Les saveurs de notre Boréalie sont infinies !

FABIEN GIRARD
Biologiste, auteur et chercheur

DEUX CHEFS, UNE VISION

Plus que jamais, la cuisine locale, santé et de traçabilité a la cote au Québec, comme partout en Amérique du Nord et en Europe. En témoigne la démarche du bistro Chez Boulay qui, depuis son ouverture, à Québec, en avril 2012, fait salle comble soir après soir et suscite un engouement qui ne s'est jamais démenti. Bien au contraire! On accourt de partout pour goûter la cuisine gourmande, aux saveurs inusitées, du tandem formé de Jean-Luc Boulay et d'Arnaud Marchand. « Les techniques sont françaises parce que nous avons été formés dans cette tradition, qui est aussi celle de la majorité des cuisiniers d'ici ; par contre, les produits et l'inspiration sont québécois, avec de nombreux ingrédients qui proviennent de la forêt boréale ou de terroirs sauvages », précise Arnaud Marchand.

Pour les deux complices, qui se sont connus en 2010 dans le cadre de l'émission *Les Chefs!*, à Radio-Canada, alors qu'Arnaud était l'un des finalistes et Jean-Luc l'un des trois juges permanents, l'intérêt constamment renouvelé du public pour leur cuisine et sa grande curiosité à l'égard des ingrédients utilisés par le bistro Chez Boulay les ont conduits à vouloir faire un ouvrage de vulgarisation sur leur vision de la cuisine d'inspiration nordique. « Notre but consiste à démystifier la cuisine boréale, avec ses in-grédients typiques de notre territoire et sa philosophie de proximité, de manière à initier les gens et à leur donner envie de l'incorporer dans leur quotidien tout en s'amusant », explique Arnaud Marchand. De son côté, Jean-Luc Boulay souhaite amener les Québécois à aller plus souvent se promener en forêt en famille, afin de découvrir et de s'approprier le fabuleux garde-manger naturel à leur disposition. C'est pourquoi les 80 recettes créées par ce sympathique duo, avec la précieuse collaboration du chef Érick Demers, fidèle bras droit d'Arnaud, se veulent un point de départ et une source d'inspiration pour les lecteurs. Faciles à réaliser, elles sont bien ancrées dans les saisons.

Mais nous vous invitons d'abord à découvrir, dans le premier chapitre, les fondements de la cuisine boréale telle qu'on la pratique au restaurant Chez Boulay bistro boréal, avec ses caractéristiques, son importance pour la société québécoise et une présentation des précurseurs, sans qui cette belle aventure n'aurait jamais pu se concrétiser.

Suivez le guide!

ANNE-LOUISE DESJARDINS
journaliste et auteur

Arnaud Marchand, Érick Demers
et Jean-Luc Boulay.

QU'EST-CE QUE LA CUISINE BORÉALE ?

Le Québec jouit d'un territoire qui, s'il n'est pas le plus facile à exploiter en raison de sa vastitude et de sa saisonnalité, possède des atouts indéniables, du fait même de sa nordicité. Le bistro Chez Boulay l'a bien compris, jouant à fond la carte de cette nordicité en utilisant presque exclusivement des ingrédients d'ici, saisonniers, dont plusieurs sont des produits forestiers non ligneux (PFNL) issus des 550 000 km² de forêt boréale que compte le Québec : nard des pinèdes, brisures de toque, myrique baumier, fleur de mélilot, gingembre sauvage, racine de céleri sauvage, aronie, sureau, groseille, cerise à grappes, chicoutai, fraise des champs, framboise, bleuet, amélanche, thé du Labrador, thé des bois, pourpier, boutons de marguerite, cœurs de quenouille, champignons sauvages. À ces trésors s'ajoutent des produits cultivés, d'élevage ou transformés, autre reflet de notre terroir septentrional : canneberge, argousier, camerise, cassis, pomme, sirop d'érable, de bouleau ou de merisier, gelées, beurres et confitures de petits fruits, légumes-racines, courges, grand gibier d'élevage, canard, pintade, oie, poulet, lapin, truite, omble chevalier, crabe des neiges, crevettes nordiques, pétoncles, homard, hareng, maquereau, flétan, sans oublier les fromages artisanaux du Québec, les légumineuses et des grains comme l'orge, le seigle, l'avoine et le sarrasin, qui aiment nos latitudes.

L'ART DE LA SUBSTITUTION

Dans cette cuisine copieuse, originale, mais dépourvue de prétention de Chez Boulay bistro boréal, la saveur prime, les contrastes entre l'acidité, l'amer, le salé et le sucré sont travaillés avec soin et certains ingrédients identifiés à notre territoire en délogent d'autres, d'origine étrangère. Arnaud Marchand utilise de l'huile de pépins de canneberges, de tournesol, de canola biologique ou de chanvre au lieu de l'huile d'olive ; le vinaigre de cassis, de cidre ou de framboise remplace le jus de citron ou le vinaigre balsamique italien ; le romarin, le basilic ou le poivre du Sichuan se voient détrônés au profit d'aromates sauvages.

Le thé du Labrador est délicieux en tisane ou pour préparer une sauce.

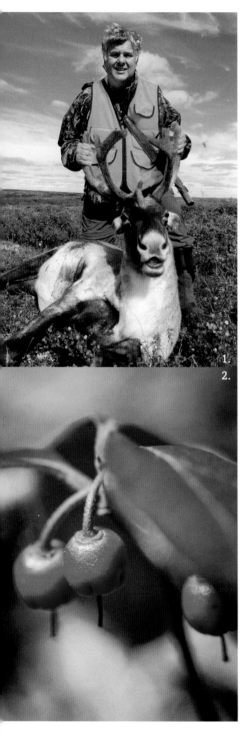

1.

2.

QUAND LE TERME «TERROIR» PREND TOUT SON SENS

Cette cuisine incarne la quintessence d'un authentique mouvement de retour vers le ter-roir : inspirée d'une nature sauvage profondément enracinée dans l'identité québécoise, de proximité et à haut indice de traçabilité, elle honore l'héritage des Premières Nations. Pour Jean-Luc Boulay, lui-même grand pêcheur, chasseur, cueilleur et amoureux de la toundra québécoise, l'intérêt pour la cuisine nordique reflète aussi un ras-le-bol géné-ralisé envers la production agroalimentaire industrielle, maintes fois entachée par les scandales et les crises sanitaires. «L'influence américaine, qui remonte à l'après-guerre et qui faisait ses choux gras d'aliments produits à grande échelle, bourrés d'agents de conservation ou de gras nocifs pour la santé, a fait son temps. Heureusement, elle a aussi favorisé une prise de conscience : dorénavant, les gens veulent connaître la prove-nance des aliments qu'ils consomment et les jeunes sont aussi très préoccupés d'envi-ronnement et de bien-être animal », explique ce grand cuisinier, persuadé que la cuisine nordique a les mêmes vertus santé que la cuisine méditerranéenne. «De nombreuses études démontrent les bienfaits de l'approche boréale, avec ses ingrédients qui dé-bordent d'antioxydants, de vitamines et de bons gras », constate le chef Boulay.

UN IMPACT ENVIRONNEMENTAL ET SOCIAL

Comme la cuisine boréale limite l'utilisation de produits ayant voyagé sur de longues distances, les ingrédients qui la composent sont réputés plus savoureux et dotés d'une meilleure valeur nutritive. Cela ajoute un argument supplémentaire en sa faveur, à l'heure où les fermiers de famille sont de plus en plus présents dans le quotidien des Québécois. Arnaud Marchand résume bien l'importance de cette philosophie d'achat lo-cal lorsqu'il avoue que plusieurs de ses fournisseurs sont devenus des amis parce qu'il peut aller les visiter, créant un lien de confiance durable en constatant tout le soin qu'ils mettent pour produire les aliments destinés au bistro Chez Boulay. Ce choix d'approvi-sionnement permet aussi de donner du travail à des milliers de Québécois et contribue à soutenir nos régions éloignées, que ce soit la Gaspésie, le Bas-du-Fleuve, la Côte-Nord ou le Saguenay–Lac-Saint-Jean.

L'intérêt pour la cuisine boréale tient donc à tous ces facteurs : retrouver le plaisir des cycles saisonniers, avec des ingrédients au summum de leur saveur et de leur fraî-cheur, faire des choix éco et socio responsables, tout en apprenant ou en réapprenant à tirer profit de notre environnement naturel. Enfin, le fait de retrouver la trace de tech-niques de conservation oubliées, qui permettent d'apprécier la saisonnalité de notre

1. Jean-Luc Boulay à la chasse au caribou.

2. Le thé des bois.

3. Pousses de sapin baumier.

4. Ortie sauvage.

5. Fumage à chaud, une technique traditionnelle amérindienne.

3.

4.

5.

territoire au lieu de la subir, contribue aussi à l'engouement pour l'approche nordique. Le fumage, le séchage, le salage et la mise en pot n'ont jamais été aussi populaires, comme une façon d'honorer la mémoire de nos aïeuls, pour qui ces procédés étaient une question de survie, leur permettant de traverser l'hiver. La cuisine boréale vient répondre à toutes ces quêtes et satisfaire tous ces désirs.

LE GARDE-MANGER BORÉAL : BIEN AVANT NOUS !

Écrire un livre sur la cuisine nordique impose l'humilité, car elle est l'héritière d'une longue lignée. Chez nous et ailleurs, de nombreux passionnés ont tracé la voie et permis l'émergence d'une véritable gastronomie du terroir à base de produits sauvages et naturels. Ce n'est pas le fruit d'une génération spontanée. C'est pourquoi, bien qu'Arnaud Marchand et Jean-Luc Boulay soient des leaders de la cuisine boréale au Québec, ils tiennent à rendre hommage aux précurseurs, tout en souhaitant que leur livre s'inscrive dans cette lignée, qu'il soit un outil de transmission des connaissances.

L'ENSEIGNEMENT DES PREMIERS PEUPLES

Les premiers habitants du territoire détenaient un savoir exhaustif sur les plantes. « On ne se le cachera pas, les Amérindiens ont élaboré leurs menus à partir de produits de la forêt, parce qu'elle était leur garde-manger. Ils utilisaient les plantes sauvages d'une manière plus médicinale, mais ils cuisaient la bannique (pain plat traditionnel) avec du sirop de bouleau, ils faisaient le pemmican (viande séchée) avec des fruits sauvages et du gibier, ils buvaient du thé du Labrador. On n'a rien inventé », explique Martin Gagné, chef du restaurant La Traite, de l'Hôtel-musée des Premières Nations, à Wendake, près de Québec. Lui-même fier de ses racines algonquines, il est l'un des premiers cuisiniers québécois à avoir élaboré un menu avec une forte empreinte autochtone, dès l'ouverture de la Traite, en 2008. Et qui dit autochtone, au Québec, dit forcément boréal, avec tout ce qui provient du Nord : plantes sauvages, viandes et poissons. Martin Gagné rappelle d'ailleurs que les Amérindiens nous ont aussi appris à fumer, saler, mettre en conserve et sécher les aliments.

JEAN-PAUL GRAPPE, L'INLASSABLE PÉDAGOGUE

Jean-Paul Grappe est une autre tête chercheuse dotée d'un savoir encyclopédique du sujet. Très tôt en carrière, il a voulu aider ses compatriotes à redécouvrir un peu de leurs racines de coureurs des bois en s'appuyant, notamment, sur l'héritage autochtone. Dès 1977, un ami d'Abitibi lui fait découvrir plusieurs ingrédients sauvages, puis lui présente des membres de la nation crie, avec qui Jean-Paul Grappe approfondira ses connaissances du garde-manger boréal. Depuis, cet homme généreux travaille chaque année avec différentes communautés dans le Nord et le Grand Nord afin de développer la cuisine d'inspiration autochtone et la connaissance des plantes sauvages.

D'abord restaurateur, puis enseignant pendant plus de 20 ans à l'Institut de tourisme et d'hôtellerie du Québec, il a offert aux Québécois les clés de leur coffre à outils boréal, avec ses livres sur les champignons sauvages, les petits fruits, les produits de la mer et les gibiers à poil et à plume, en plus d'avoir contribué à un ouvrage sur la cuisine autochtone. Pour Jean-Paul Grappe, le Québec sauvage est une terre de rêve pour les cuisiniers, en raison de l'immense diversité de produits disponibles. « La philosophie boréale vise à doter le Québec d'une identité culinaire distinctive, qui tient compte de nos racines et de notre géographie. À mon avis, il faut poursuivre son développement, car elle offre une vision très prometteuse de l'avenir », raconte ce passionné, qui a formé plusieurs des meilleurs chefs d'ici et qui œuvre toujours à titre de conférencier, d'auteur et de consultant. Il a aussi longtemps tenu à bout de bras le prix Renaud-Cyr, qui récompensait des artisans de l'agroalimentaire et les chefs qui utilisaient leurs produits.

GÉRALD LE GAL, LE GOURMET SAUVAGE

Jean-Paul Grappe souligne d'ailleurs le travail d'un précurseur auprès des cuisiniers, puis du public québécois : le Franco-manitobain Gérald Le Gal, établi au Québec de longue date et fondateur, en 1993, de Gourmet Sauvage, entreprise de cueillette, transformation et commercialisation d'aliments sauvages. Géographe de formation, son travail l'a amené à fréquenter différentes communautés autochtones. « Mes amis amérindiens des peuples ojibwés, inuit et innu m'ont généreusement transmis leurs connaissances des plantes sauvages comestibles et m'ont ainsi fourni la possibilité de me créer un emploi taillé sur mesure pour me permettre de vivre de mes passions », explique Gérald Le Gal en entrevue. Il formera des équipes de cueilleurs et nous fera connaître l'asclépiade, les têtes de violon, les boutons de marguerite et les cœurs de quenouille, et concoctera de délicieuses marinades et confitures à base de légumes et de fruits sauvages. Aujourd'hui, sa fille Ariane a pris la relève et continue de développer de nouveaux produits pour les chefs et le grand public.

1. Jean-Paul Grappe.

2. Gérald Le Gal et sa fille Ariane.

3. Nancy Hinton et François Brouillard.

4. Fabien Girard en compagnie de Jean-Luc Boulay et Arnaud Marchand.

1. 2.
3. 4.

1.
2.

FRANÇOIS BROUILLARD, LE COUREUR DES BOIS

Surnommé François-des-Bois, il est issu d'une lignée de coureurs des bois qui, depuis quatre générations, cueillent et vendent des produits sauvages. Dès 1986, son premier marché fut celui des restaurants gastronomiques. Puis, il s'est fait connaître d'un plus large public grâce à son comptoir du marché Jean-Talon, à Montréal, et à sa table champêtre, La Table des jardins sauvages, à Saint-Roch-de-l'Achigan, qu'il tient avec sa conjointe, la chef Nancy Hinton. Auparavant, Nancy était sous-chef à l'Eau à la Bouche, restaurant réputé qui valorisait les ingrédients régionaux. Elle a aussi créé une gamme de produits transformés : poudres de champignons sauvages, ketchup aux têtes de violon, gingembre sauvage mariné, farine de quenouille, épices à steak sauvages, etc. À l'instar de Gérald Le Gal, François Brouillard contribue également, grâce à ses ateliers d'initiation, à mieux faire connaître et apprécier des Québécois les plantes sauvages comestibles.

FABIEN GIRARD, LE SAVANT GOURMAND

Fabien Girard a toujours été fasciné par les plantes de sa région natale de Mistassini. « Mes parents laissaient une petite pelle dans la voiture et, pendant nos promenades, ils s'arrêtaient chaque fois que je voulais cueillir un nouveau spécimen. Dès cinq ou six ans, je leur demandais de vérifier, avec leurs guides Fleurbec, quels végétaux, parmi mes cueillettes, se mangeaient », se souvient-il. Ce biologiste, auteur et conférencier réputé est aussi le concepteur des produits D'Origina, une gamme d'aromates issus de la forêt boréale, qui a connu une belle notoriété pendant plusieurs années, avant que des divergences d'opinions entre partenaires ne mettent fin prématurément à l'aventure.

Aujourd'hui, Fabien Girard travaille avec les universités Laval et de Sherbrooke, le cégep de Chicoutimi et l'Institut Armand-Frappier. Il cherche à identifier les composantes nutritionnelles de ce garde-manger naturel, afin que les Québécois puissent remplacer des ingrédients venus d'ailleurs par d'autres qui poussent chez eux. Pourquoi ne pas utiliser le poivre et la muscade boréaux au lieu des produits européens ou asiatiques, choisir la sauge sauvage plutôt que le romarin, et substituer au curcuma la racine de verge d'or du printemps ? Ces plantes ont des propriétés santé et organoleptiques similaires à leurs équivalents étrangers, et c'est ce que le biologiste s'emploie à prouver, armé de solides recherches scientifiques. On ne s'étonnera donc pas que cet homme passionné, au point de faire de sa démarche une affaire de fierté nationale retrouvée, soit une référence inestimable pour les chefs qui souhaitent offrir une cuisine nordique authentique à leur clientèle. « Fabien nous a beaucoup aidés à identifier les ingrédients les plus intéressants et il continue de nous inspirer par ses travaux et ses découvertes », insiste Arnaud Marchand, pour qui cette quête s'apparente à une chasse au trésor.

Fabien Girard s'est donné une autre mission : contrer le charlatanisme et ceux qui s'improvisent fournisseurs de produits sauvages. « J'essaie de donner une valeur scientifique, et non pas ésotérique, aux plantes, en appuyant mes explications sur des recherches très documentées », explique le biologiste. L'accès qu'il a eu à des archives autochtones lui a d'ailleurs permis de constater que les Premières Nations, avec leurs connaissances empiriques millénaires, avaient vu juste sur la valeur médicinale et alimentaire des plantes forestières. Afin de préserver cet important héritage, Fabien Girard s'emploie à former des cueilleurs respectueux et compétents. « On ne peut pas cueillir n'importe quoi, n'importe comment ni n'importe quand, martèle-t-il. Pensons à l'ail des bois, une espèce maintenant en péril, à cause d'une cueillette trop intensive. L'acquisition de connaissances préalables est cruciale au développement du garde-manger boréal. Cette activité se doit d'être bien balisée pour protéger la ressource de même que la santé du public. »

QUAND LA CUISINE DU NORD SE DONNE UN TITRE ET UN CHEF

René Redzepi a aussi eu une influence considérable sur la définition de ce qu'est la cuisine nordique. Son restaurant Noma (de « *nor*disk » – nordique – et de « *mad* » – nourriture – en danois), ouvert à Copenhague en 2003, a été pendant plusieurs années le meilleur au monde, selon le prestigieux magazine britannique *Restaurants.* De son propre aveu, ce chef, formé chez El Bulli et au French Laundry, a dû bagarrer ferme avant de trouver le style qui ferait sa renommée. Ce n'est que lorsqu'il a abandonné l'idée d'une gastronomie de l'Atlantique Nord, pour la remplacer par une cuisine profondément ancrée dans son terroir nordique, que René Redzepi a connu le succès. « Ce qu'on doit au chef du Noma, c'est d'avoir su créer, dès 2004, une marque de commerce claire autour du concept de cuisine nordique », rappelle Jean-Luc Boulay, pour qui cette quête d'authenticité culinaire s'est révélée une source d'inspiration au moment de créer le concept de Chez Boulay bistro boréal. À ses yeux, le Québec avait déjà une bonne longueur d'avance sur la Scandinavie en ce qui a trait à l'approvisionnement des chefs auprès de producteurs locaux et à l'utilisation d'ingrédients sauvages en cuisine. Mais l'étiquette, le *branding* boréal, restait à trouver et à peaufiner.

Des chefs comme Normand Laprise, de chez Toqué !, Daniel Vézina, du Laurie Raphaël, Yvan Lebrun, d'Initiale, Anne Desjardins, de l'Eau à la bouche (aucun lien de parenté avec l'auteur de ces lignes), Marcel Bouchard, de l'Auberge des 21, Renaud Cyr, du Manoir des Érables et Jean-Luc Boulay lui-même, travaillaient déjà depuis les années 1990 avec des producteurs artisans et élaboraient une cuisine authentique, locale et saisonnière, qu'on appelait plutôt, à l'époque, « du marché ». René Redzepi a changé la donne en poussant la quête d'excellence et d'authenticité boréale très loin, donnant ses lettres de noblesse à une cuisine entièrement définie par son terroir nordique.

1. Fleurs sauvages au printemps.

2. Fabien Girard, Arnaud Marchand et Jean-Luc Boulay, au printemps, dans la forêt boréale du Saguenay–Lac-Saint-Jean.

3. Lichen et rudbeckie, au printemps.

4. Ours noir.

CUISINE BORÉALE, MODE D'EMPLOI

4 SAISONS, 80 RECETTES

Cet ouvrage compte 80 recettes (brunchs, entrées, plats principaux, desserts) couvrant les quatre saisons, avec accords vin et cidre expliqués. Certaines sont pensées comme un repas complet ; c'est pourquoi elles sont plus longues, sans être compliquées. En introduction de chaque chapitre, vous ferez aussi la connaissance de quelques-uns des producteurs avec qui les chefs Arnaud Marchand et Jean-Luc Boulay font affaire. Nous aurions aimé vous les présenter tous !

DES INGRÉDIENTS SUPPLÉANTS

La cuisine boréale utilise, bien sûr, une infinité de plantes sauvages comestibles, à découvrir à l'aide de formations ou de guides spécialisés. Sauf pour quelques exceptions faciles à identifier, nous laissons aux experts le soin d'initier les amateurs. Nous avons plutôt dressé une liste des ingrédients de base moins connus, mais populaires dans le garde-manger de Chez Boulay, avec une liste de bonnes adresses. Conscients que vous n'aurez pas toujours ces ingrédients spéciaux à portée de main, nous vous proposons aussi des succédanés. Dans les recettes, ils sont marqués d'un astérisque (*) et font référence à la liste proposée ici. Enfin, nous vous suggérons quelques trucs faciles pour apporter de la boréalité dans votre cuisine. Amusez-vous !

1. Lichen, au printemps.

2. Fruits du rosier sauvage.

3. Petit thé.

LE GARDE-MANGER BORÉAL

Algues

Pas de substitution ;
faciles à trouver en épicerie
ou en ligne

Argousier

Remplace le citron et les
agrumes dans les desserts ;
pas de substitution, goût et
texture uniques

Aronie

Baie sucrée, entre le cassis
et le bleuet ; remplacer par
des bleuets

Asclépiade marinée
(petit cochon)

Semblable aux cornichons ;
remplacer par des cornichons

Baie de genièvre

Parfume le porc et le gibier ;
pas de substitution, facile à
trouver

Boutons de marguerite

Semblables aux câpres ;
remplacer par des câpres

Camerise

Baie sucrée, entre le cassis
et le bleuet ; remplacer par
des bleuets

Carvi sauvage

Remplacer par du carvi
standard

Cassis

Baie sucrée, semblable à
l'aronie ; substituer par des
bleuets et de l'aronie

Chicoutai

Saveur entre la cerise de terre
et la framboise ; remplacer par
des framboises

Cœurs de quenouille

Semblable aux cœurs de
palmier ; remplacer par des
cœurs de palmier

Églantier (rosier sauvage)

On en fait un beurre ou de
la gelée ; remplacer par un
autre beurre ou gelée de fruits
sauvages, selon la recette

Épinette noire (poudre)

Remplacer par des pousses de
sapin baumier séchées ou du
romarin

Fleur de mélilot

Goût entre miel et vanille ;
pas de substitution

Gingembre sauvage

Remplacer par du gingembre
standard

Huiles essentielles Aliksir

Gamme Les arômes de Saba de la forêt boréale

Livèche

Saveur de céleri ; remplacer par des feuilles de céleri

Mélisse

Saveur à la fois sucrée et citronnée ; remplacer par une goutte de jus de citron

Menthe

Saveur poivrée ; pas de substitution, facile à trouver, fraîche ou séchée

Myrique baumier (graines de myrica)

Remplacer par du laurier, du poivre ou du carvi, selon les recettes

Oseille sauvage

Goût légèrement amer ; remplacer par de l'oseille ou de jeunes épinards

Nard des pinèdes

Remplacer par de la cardamome, de la cannelle et du clou de girofle, selon les recettes

Piment d'argile

Piment rouge fort en flocons, disponible dans les épiceries fines ; remplacer par du piment d'Espelette ou gorria

Poivre des dunes

Saveur poivrée et épicée ; remplacer par du poivre noir

Raifort sauvage

Remplacer par du raifort frais
ou en pot

Salicorne

Légume de mer salé, en
petites tiges ; remplacer par
des câpres ou des herbes
salées

Sapin baumier

Cueillir, sécher et réduire en
poudre les jeunes pousses ;
remplacer par du romarin ou
de la marjolaine

Sureau noir

Petit fruit rouge noir en
grappes ; remplacer par de
l'aronie

Thé du Labrador

On peut en faire des sauces
et des tisanes ; pas de
substitution, facile à trouver en
ligne et dans les épiceries fines

**Sirop de bouleau
ou de merisier**

Saveur boisée, rappelle le sirop
d'érable ; remplacer par du
sirop d'érable

L'ART DE LA SUBSTITUTION, POUR AJOUTER UNE TOUCHE BORÉALE

Au lieu de l'huile d'olive : utiliser huile de canola biologique du Québec (car elle ne contient pas d'OGM), de tournesol (du Québec), de pépins de canneberges, de chanvre (à cru)	**Au lieu de champignons blancs :** utiliser des champignons sauvages, frais ou séchés
Au lieu du vinaigre balsamique : utiliser vinaigre de cidre, de cassis, de framboise, etc.	**Au lieu de crevettes géantes de culture :** utiliser des crevettes nordiques
Au lieu du citron : utiliser de l'argousier ou un vinaigre de petits fruits	**Au lieu de poissons d'élevage importés :** utiliser ceux pêchés dans le Saint-Laurent (flétan, maquereau, aiglefin, morue, etc.). Voir exploramer.qc.ca/fr/fourchette-bleue
Au lieu de fromages importés : opter pour des fromages du Québec	**Au lieu du poivre noir ou rose :** utiliser du poivre des dunes
Au lieu de laitues importées : cueillir vos propres laitues sauvages, surtout au printemps, avant la floraison : érythrone, pourpier, orpin, pousses d'ail des bois, pissenlit, etc.	**Au lieu de cardamome, laurier, cannelle, clou de girofle :** utiliser du nard des pinèdes
Au lieu de crêpes à la farine blanche : utiliser de la farine de sarrasin ou d'épeautre	**Au lieu de carvi, thym ou de laurier :** utiliser des graines de myrica
Au lieu du riz arborio ou carnaroli à risotto : utiliser de l'orge mondé (entier)	**Au lieu du sucre :** utiliser un peu de fleur de mélilot (fleur à miel) et de miel du Québec
Au lieu du riz blanc ou brun : utiliser du riz sauvage biologique canadien	**Au lieu d'alcools étrangers, découvrez les alcools du terroir :** vin, vin de glace, cidre, poiré, mistelle, gin de panais, hydromel, alcool d'érable, etc.

NOS BONNES ADRESSES

Argousier du Mont-Ferréol
(baies d'argousier) : largousier.com

Cassis Monna & filles
(alcools et produits transformés au cassis) : cassismonna.com

Cidres du Québec
(une cinquantaine de cidriculteurs) : cidreduquebec.com

Domaine Acer
(alcools d'érable artisanaux) : domaineacer.com

Élevages Turlo
(pigeonneau et porcelet) : pigeonneauxturlo.com

Ferme Caprivoix
(viande de chevreau et bœuf Highland) : fermecaprivoix.com

Ferme des Monts
(légumes et petits fruits biologiques) : 128, rang du Ruisseau des Frênes, La Malbaie (Sainte-Agnès), 418-439-2706

Ferme du Canard goulu
(viande de canard et produits transformés) : canardgoulu.com

Ferme Lufa
(ferme urbaine et distributeur de plusieurs produits boréaux) : montreal.lufa.com

Ferme Orléans
(oie, poulet, caille et autres volailles fermières) : fermeorleans.com

Ferme piscicole Les Bobines
(truite produite de façon écoresponsable) : lesbobines.com

Forêts et papilles
(thé du Labrador, champignons, poudre de sapin) : foretsetpapilles.com

Fromages du Québec
(tous les fromages fabriqués au Québec) : fromagesdici.com

Gourmande de nature
(produits sauvages madelinots : beurre d'églantier, coulis, sels aromatisés, etc.) : gourmandedenature.com

Gourmet sauvage
(une foule de produits sauvages transformés) : gourmetsauvage.ca

Herboristerie Aliksir
(gamme d'huiles essentielles Les arômes de Saba) : aliksir.com

Laiterie Charlevoix
(différents fromages artisanaux) : fromagescharlevoix.com

Les Jardins de la mer
(salicorne, algues, plantes séchées, sels aromatisés, thés, beurre d'églantier, etc.) : lesjardinsdelamer.org

Les Jardins sauvages
(nombreux produits sauvages transformés) : jardinssauvages.com

Marché des saveurs du Québec
(marché Jean-Talon, Montréal ; 7 000 produits agroalimentaires québécois, dont plusieurs sauvages) : lemarchedessaveurs.com

Maison Orphée
(huiles artisanales et condiments, dont plusieurs bios) : maisonorphee.com

Microbrasseries du Québec
(une centaine de microbrasseries) : bieresduquebec.ca

Morille Québec
(champignons sauvages, épices boréales et sauces à tartare du chef Arnaud Marchand) : morillequebec.com

Nutra-Fruit
(canneberge transformée en de nombreux produits gourmets) : nutra-fruit.com

**Un Océan de saveurs :
Antoine Nicolas, algues fraîches et séchées**
581-887-2465
antoine.nicolas.lpg@gmail.com

Terroirs Québec
(boutique en ligne, distributeur de produits de 80 artisans, dont ceux de Gaspésie sauvage) : terroirsquebec.com

Vinaigrerie du Capitaine
(vinaigres artisanaux de cassis et d'autres fruits, gelées, coulis, compotes) : lavinaigrerie.com

Vins du Québec
(70 vignerons d'ici à découvrir) : vinsduquebec.com

PRINTEMPS

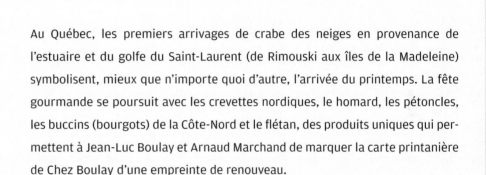

Au Québec, les premiers arrivages de crabe des neiges en provenance de l'estuaire et du golfe du Saint-Laurent (de Rimouski aux îles de la Madeleine) symbolisent, mieux que n'importe quoi d'autre, l'arrivée du printemps. La fête gourmande se poursuit avec les crevettes nordiques, le homard, les pétoncles, les buccins (bourgots) de la Côte-Nord et le flétan, des produits uniques qui permettent à Jean-Luc Boulay et Arnaud Marchand de marquer la carte printanière de Chez Boulay d'une empreinte de renouveau.

Au sortir d'un long hiver, on attend toujours avec impatience l'abondance de l'été, mais, pour l'instant, on peut se régaler avec les crosses de fougère (têtes de violon), la rhubarbe, les herbes et délicates fleurs comestibles qui pointent dès avril. C'est le moment de cueillir les feuilles de pissenlit et d'orpin pourpre, les fleurs de sureau blanc ou les violettes, pour composer des salades originales. C'est aussi l'occasion de parfumer les braisés avec des pousses de sapin baumier que les mycologues amateurs accompagneront d'exquises morilles, que l'on récolte d'avril à juin.

Et puis, il y a ces plaisirs si typiquement printaniers que sont le sirop d'érable et le sirop de bouleau ou de merisier, en attendant les premières asperges et les petites fraises des champs !

Pour Arnaud et Jean-Luc, le printemps, c'est : quand les lacs du Nord calent enfin, pour pouvoir aller ouvrir le camp de pêche à la truite. Sans oublier les festins de pattes de crabe des neiges entre amis !

QUATRE PRODUCTEURS

Alcools d'érable pure laine au Domaine Acer

En 1997, Vallier Robert obtenait le premier permis de production de boissons artisa-nales alcoolisées à base de sève d'érable. Vingt ans plus tard, son père, Charles-Aimé, serait très fier de constater avec quel formidable esprit d'entreprise son fils et sa belle-fille, Nathalie Decaigny, ingénieure agronome, ont su faire fructifier l'érablière familiale d'Auclair, au Témiscouata. Après des années de recherche et de stages de vinification en France, notre *acérologue* a mis au point quatre *acer*, des alcools à base d'eau d'érable élaborés de la même façon que le vin, qui ont obtenu de prestigieuses récompenses et la reconnaissance des sommeliers. Le Charles-Aimé Robert tire à 17 % d'alcool et s'ap-parente au porto ou au xérès. Le Mousse des bois est un blanc de blancs à 12 % d'alcool, élaboré selon la méthode traditionnelle, comme un champagne. Prémices d'avril, un blanc semi-sec, rappelle le vinho verde portugais. Enfin, le Val ambré est vinifié quatre ans en fût de chêne ; avec ses notes de caramel, de noix et d'érable, il est délicieux en apéritif, avec le foie gras ou des fromages. Compte tenu de la complexité du processus pour élaborer des alcools de qualité à partir de sève d'érable, on peut dire que le pari tenu de Vallier Robert et de son équipe constitue un véritable exploit !

La Ferme Caprivoix : pour l'amour du chevreau

Sophie Talbot et Michel Nicole, deux diplômés de l'Institut de technologie agroalimen-taire de La Pocatière, ont fait de l'élevage de chèvres de boucherie leur mission. En 2008, après avoir fait l'acquisition d'une ancienne ferme laitière aussi dotée d'une écurie, à Saint-Hilarion, dans Charlevoix, ils y installent leur troupeau, qui compte aujourd'hui plus d'une centaine de chèvres de race Kiko et quelques boucs de race Boer. Ce ma-riage produit des animaux robustes, qui donnent une viande tendre et savoureuse. Les chèvres ont accès aux pâturages durant la belle saison (de juin à novembre) et les che-vreaux sont élevés avec leur mère jusqu'à l'âge de deux mois. En plus du lait maternel, ils broutent à volonté et ont aussi accès à de l'ensilage, sans restriction. Les animaux sont élevés dans des conditions naturelles qui favorisent leur bien-être, sans stress ni antibio-tiques. Depuis 2012, soucieux d'offrir la meilleure qualité de produits possible, Sophie et

1. La sève d'érable se met à couler dès la fin de mars ou le début d'avril, selon les années.

2. Au Domaine Acer, on fabrique des alcools d'érable en suivant les mêmes procédés que pour l'élaboration du vin.

3. Les chefs Jean-Luc Boulay et Arnaud Marchand identifient différentes plantes sauvages en compagnie du biologiste Fabien Girard.

4. À la Ferme Caprivoix, Sophie Talbot et Michel Nicole élèvent des chèvres de boucherie qui sont un croisement des races Kiko et Boer.

1. 2.
3. 4.

1. 2.
3. 4.

Michel ont aménagé sur le site de leur ferme une boutique, un centre de transformation et une boucherie. En plus d'offrir leur viande aux chefs sous forme de carcasses entières, ils proposent aux visiteurs de leur site agrotouristique (qui compte aussi une miniferme et un élevage de bœufs Highland) différentes découpes et des mets préparés : saucisses, terrines, cretons, etc.

Orphée et compagnie : tout baigne dans l'huile !

Élisabeth et Élaine Bélanger ont pris la relève de leur père il y a plus de dix ans pour faire de Maison Orphée le plus important producteur et importateur d'huiles gastronomiques au Québec, dont plusieurs sont biologiques. Dans leur usine ultramoderne, elles pressent des huiles de tournesol et de canola à partir de grains cultivés au Québec. Elles ont aussi développé d'intéressants partenariats avec des producteurs d'huiles d'olive d'Espagne, d'Italie et d'Argentine, qui doivent souscrire à leur philosophie, axée sur une qualité rigoureuse et un travail d'équipe harmonieux ; même rigueur pour les fournisseurs d'huile de noix ou d'huiles exotiques de coco et de sésame grillé. Le dynamique tandem ne s'est pas arrêté en si bon chemin, élaborant aussi une gamme complète de vinaigres, de moutardes et de vinaigrettes, utilisant le plus possible des ingrédients du Québec, comme pour le vinaigre de cidre (élaboré avec des pommes de Rougemont) ou les graines de moutarde. Les chefs de Chez Boulay utilisent plusieurs des produits Orphée, notamment leur excellente huile de canola bio. Ils se procurent l'huile de chanvre auprès de la Coop du Cap, en Gaspésie, l'huile de caméline Et voilà ! (Oliméga), auprès de la ferme EDPA de Saint-Édouard, tandis que l'entreprise Nutra-Fruit, de Québec, leur fournit la précieuse huile de pépins de canneberges.

Truite arc-en-ciel et omble chevalier écoresponsables

Ce n'est pas tout le monde qui est amateur de pêche ou qui a accès à un plan d'eau pour aller y chatouiller la truite. Heureusement, les amateurs peuvent compter sur quelques producteurs québécois qui élèvent ces poissons selon des critères écoresponsables. C'est le cas de la Ferme piscicole des Bobines, à East Hereford, en Estrie, membre du programme canadien Ocean Wise, un organisme qui fait la promotion de poissons et de fruits de mer durables. La famille Roy-Brodeur produit depuis 1980 des truites arc-en-ciel nourries avec une moulée de qualité, à teneur réduite en phosphore. Les truites sont élevées dans des bassins utilisant un ingénieux système de recirculation et de filtrage qui recycle 85 % de l'eau utilisée, puisant seulement 15 % dans la nappe phréatique.

L'omble chevalier est aussi produit en aquaculture. La pisciculture Charlevoix en a fait sa spécialité. Benoît-Michel Béïque a racheté il y a quelques années la pisciculture Smith, aux Éboulements, pour se lancer dans la production de ce poisson fin, très riche en oméga-3. Ses ombles, il les élève sans antibiotiques ni hormones de croissance, avec une empreinte écologique minimale. En Gaspésie également on produit ce poisson délicat, selon les mêmes critères de qualité. C'est la compagnie Menu-Mer qui le distribue à l'équipe du bistro Chez Boulay. Menu-Mer propose en outre des moules, des pétoncles, de la morue et du flétan gaspésiens.

1. Au Québec, plusieurs producteurs cultivent le tournesol pour en faire des huiles.

2. La Maison Orphée utilise du canola biologique ; celui-ci ne contient pas d'organismes génétiquement modifiés (OGM).

3. Les chefs Jean-Luc Boulay et Arnaud Marchand identifient différentes plantes sauvages en compagnie du biologiste Fabien Girard.

4. La Ferme piscicole des Bobines produit une truite arc-en-ciel selon des normes strictes destinées à préserver l'environnement.

CRÊPES SOUFFLÉES À L'ÉRABLE ET AU POIVRE DES DUNES, CONFITURE DE CANNEBERGES ET GRAINES DE CITROUILLE

4 PORTIONS

Crème pâtissière soufflée

250 ml (1 tasse) de lait

65 g (⅓ tasse) de sucre

1 œuf

3 c. à soupe de fécule de maïs

1 c. à café de poivre des dunes*

2 c. à café de beurre

2 blancs d'œufs

Confiture de canneberges

100 g (½ tasse) de sucre

250 g (2 tasses) de canneberges fraîches

1 pomme moyenne coupée en dés

1 c. à café de pectine

2 c. à soupe de vinaigre de cidre

Crêpes

250 ml (1 tasse) de lait

2 œufs

1 c. à soupe de sirop d'érable

125 g (1 tasse) de farine

1 c. à café de poivre des dunes*

1 pincée de sel

2 c. à soupe de beurre fondu

Garniture

75 g (½ tasse) de graines de citrouille grillées

Sirop d'érable, au goût

Crème pâtissière soufflée (à préparer 24 heures d'avance)

Dans une casserole, hors du feu, à l'aide d'un fouet, mélanger le lait, le sucre et l'œuf. Dans un petit bol, diluer la fécule de maïs avec un peu du mélange de lait pour éviter la formation de grumeaux, puis verser dans la casserole. Ajouter le poivre des dunes.

Cuire, à feu moyen-doux, sans cesser de remuer, jusqu'à ébullition et épaississement. Retirer du feu et ajouter le beurre en fouettant énergiquement jusqu'à ce que le mélange soit homogène. Verser dans un bol, déposer une pellicule plastique directement sur la préparation et réfrigérer pendant 24 heures.

Confiture de canneberges

Dans une casserole, chauffer la moitié du sucre à feu moyen avec les canneberges et les dés de pomme, sans porter à ébullition.

Dans un bol, mélanger le reste du sucre avec la pectine. Ajouter aux canneberges et porter à ébullition, en remuant de temps à autre. Ajouter le vinaigre et maintenir l'ébullition pendant 1 minute. Laisser refroidir à température ambiante.

Crêpes

Dans un bol, à l'aide d'un fouet, battre le lait avec les œufs et le sirop d'érable. Dans un autre bol, mélanger la farine, le poivre des dunes et le sel. Former un puits au centre et verser délicatement le mélange de lait, puis bien remuer jusqu'à homogénéité. Sans cesser de mélanger, incorporer le beurre fondu. Réserver pendant 30 minutes au réfrigérateur.

Dressage

Sortir la crème pâtissière du réfrigérateur et la détendre au fouet.

Dans un bol, à l'aide d'un batteur électrique, monter les blancs d'œufs en pics fermes. Avec une maryse, ajouter à la crème pâtissière en pliant délicatement. Réserver au réfrigérateur jusqu'au moment de servir.

Préchauffer le four à 190 °C (375 °F). Sortir la pâte à crêpes du réfrigérateur. Chauffer une poêle antiadhésive à feu vif. Verser une petite louche de pâte à crêpes (juste assez pour couvrir le fond). Lorsque le dessous de la crêpe commence à dorer, la retourner et cuire jusqu'à ce qu'elle soit légèrement dorée. Transférer sur une assiette. Répéter jusqu'à utilisation complète de la pâte.

Ajouter 3 c. à soupe de crème pâtissière au centre de chaque crêpe et replier en demi-lune. Déposer sur une plaque de cuisson recouverte de papier sulfurisé. Réchauffer au four pendant 5 minutes. Garnir de graines de citrouille et arroser de sirop d'érable. Servir aussitôt, avec un peu de confiture.

* Voir le tableau de substitutions à la page 25.

* Voir le tableau de substitutions à la page 25.

À BOIRE !

DOMAINE ROLET PÈRE ET FILS, CRÉMANT DU JURA BRUT (FRANCE), CODE SAQ 10653380, 25,40 $
Ce domaine, établi à Arbois au début des années 1940, est maintenant propriété des quatre enfants du fondateur, qui travaillent dans un esprit à la fois moderne et respectueux des traditions. Leur crémant bien sec, aux bulles fines et persistantes, a des arômes de fleur blanche, de noix et de pain rôti. La pêche et l'amande reflètent la présence du chardonnay. D'une bonne longueur en bouche, beaucoup moins cher qu'un champagne, il est idéal pour le brunch ! Servir à 10 °C.

CUISSES DE LAPIN CONFITES, SAUCE GRIBICHE AUX BOUTONS DE MARGUERITE, PAIN PERDU AUX CHAMPIGNONS ET CAROTTES GLACÉES

4 PORTIONS

Cuisses de lapin confites

4 cuisses de lapin
(environ 800 g/1 ¾ lb en tout)

3 c. à café de gros sel

4 branches de thym

2 feuilles de laurier

250 ml (1 tasse) de gras de canard

Sauce gribiche aux boutons de marguerite

3 œufs durs

1 c. à soupe de moutarde de Dijon

2 c. à soupe de boutons
de marguerite*

1 c. à soupe de cornichons coupés
en dés

1 c. à soupe de persil haché

90 ml (⅓ tasse) d'huile de canola

Sel et poivre, au goût

Pain perdu aux champignons

2 c. à soupe de beurre

100 g (2 tasses) de champignons
de Paris coupés en tranches

1 sachet (14 g) de champignons
séchés

250 ml (1 tasse) de lait

125 ml (½ tasse) de
crème à cuisson 35 %

3 œufs battus

1 litre (4 tasses) de mie de pain
coupée en cubes

Carottes glacées

12 à 16 carottes nantaises, pelées

500 ml (2 tasses) d'eau

2 c. à soupe de beurre

2 c. à café de miel

2 gousses d'ail

3 feuilles de laurier

Dressage

4 œufs (cuisson au goût)

Cuisses de lapin confites

Frotter les cuisses de lapin avec le gros sel, le thym et le laurier puis les déposer dans un plat. Couvrir d'une pellicule plastique et laisser reposer au réfrigérateur pendant 12 heures.

Préchauffer le four à 140 °C (275 °F). Rincer les cuisses de lapin et les assécher avec un linge propre. Déposer dans une casserole, ajouter le gras de canard, couvrir et confire pendant 2 heures environ ou jusqu'à ce que la chair se détache de l'os. Réserver au chaud.

Sauce gribiche

Séparer les jaunes et les blancs des œufs durs et mettre dans des bols séparés. Hacher les blancs et réserver.

Écraser les jaunes d'œufs à la fourchette, ajouter la moutarde et bien mélanger. Ajouter les boutons de marguerite, les cornichons, le persil et les blancs d'œufs hachés. À l'aide d'un fouet, ajouter l'huile en un mince filet, en fouettant constamment, afin d'émulsionner la sauce. Saler et poivrer. Réserver.

Pain perdu aux champignons

Préchauffer le four à 180 °C (350 °F). Dans un poêlon, faire mousser le beurre à feu vif et sauter les champignons de Paris pendant 5 à 7 minutes. Ajouter les champignons séchés et cuire 2 minutes de plus. Retirer du feu, ajouter le lait et la crème, saler et poivrer, puis laisser refroidir. À l'aide d'un mélangeur à main, mixer légèrement la préparation et ajouter les œufs battus.

Dans un bol, déposer les cubes de pain et verser le mélange d'œufs et de champignons. À l'aide d'une maryse, mélanger pour s'assurer que le pain est bien imbibé. Beurrer un moule à pain de 23 cm x 13 cm (9 po x 5 po) et le chemiser avec du papier sulfurisé. Verser le mélange de pain. Cuire au four de 20 à 30 minutes ou jusqu'à ce qu'un cure-dent piqué au centre du pain perdu en ressorte sec. Réserver au froid 5 minutes pour faire prendre.

Carottes glacées

Déposer les carottes dans une poêle et les recouvrir d'eau. Ajouter le beurre, le miel, l'ail et le laurier. Commencer la cuisson à feu vif, à découvert. Lorsque le liquide est évaporé, baisser à feu moyen et bien remuer les carottes jusqu'à ce qu'elles soient caramélisées et lustrées. Saler et poivrer. Ne pas mettre trop d'eau afin que les carottes demeurent légèrement al dente.

Dressage

Couper des tranches de pain perdu et les faire revenir dans un peu de beurre mousseux. Dresser le pain perdu dans quatre assiettes, ajouter les cuisses de lapin confites, les œufs, cuits au goût, les carottes glacées et la sauce gribiche.

* Voir le tableau de substitutions à la page 25.

ASPERGES TIÈDES DU QUÉBEC ET MAGRET DE CANARD SÉCHÉ, SAUCE MOUSSELINE AU PIMENT D'ARGILE ET AU VINAIGRE DE CIDRE DE GLACE

4 PORTIONS

500 g (1 lb) d'asperges, parées (voir ▷)

100 g (3 ½ oz) de magret de canard séché, du commerce

2 asperges crues, pelées et coupées en brunoise (pour la garniture)

Sauce mousseline

5 jaunes d'œufs

1 c. à soupe d'eau

125 ml (½ tasse) de beurre clarifié, fondu (voir ▷▷)

2 c. à soupe de vinaigre de cidre de glace

1 pincée de piment d'argile ou de piment Gorria*

1 c. à soupe de crème fouettée

Sel et poivre, au goût

Sauce mousseline

Dans une casserole, hors du feu, à l'aide d'un fouet, battre les jaunes d'œufs avec l'eau. Sans cesser de battre pour incorporer le plus d'air possible, cuire à feu doux jusqu'à ce que la préparation ait épaissi au point de former de larges rubans. Sans cesser de battre pour bien émulsionner, incorporer le beurre clarifié fondu en un mince filet. Retirer du feu et réserver.

Dressage

Porter une casserole d'eau salée à ébullition, y plonger les asperges et les blanchir pendant 90 secondes après la reprise de l'ébullition. Égoutter et plonger dans de l'eau glacée pour arrêter la cuisson. Égoutter et bien éponger avec des essuie-tout. Disposer les asperges sur une assiette de service.

Ajouter le vinaigre, le piment d'argile et la crème fouettée à la sauce mousseline. Saler et poivrer.

Napper les asperges avec la sauce mousseline et garnir des tranches de magret de canard séché et de la brunoise d'asperge.

▷ Pour parer des asperges, couper le bout blanchâtre à l'aide d'un petit couteau bien aiguisé. À l'aide d'un économe, peler la moitié inférieure de la tige d'asperge, ce qui la rendra aussi tendre que la partie située près de la tête. Vous pouvez aussi tenir l'asperge à chaque extrémité entre vos doigts et plier délicatement. La tige se cassera à l'endroit où commence la partie tendre.

▷▷ Le beurre clarifié a été débarrassé de son excédent d'eau et des solides du lait, ce qui lui permet de chauffer à plus haute température sans brûler. Pour l'obtenir, faire chauffer du beurre dans une petite casserole à feu doux. À l'aide d'une cuillère, retirer l'écume qui se forme à la surface. Lorsque le beurre devient jaune clair, transférer dans un contenant en laissant le dépôt dans la casserole. Vous pouvez aussi chauffer le beurre pendant 2 minutes au four à micro-ondes, le réfrigérer jusqu'à ce qu'il soit solide de nouveau et faire un petit trou au centre. Le petit-lait s'en écoulera facilement. On trouve aussi du beurre clarifié au rayon des produits indiens ou naturels sous le nom de « ghee ».

* Voir le tableau de substitutions à la page 25.

À BOIRE !

CLASSIQUE BLANC DOMAINE DE ST-JACQUES, CANADA (QUÉBEC), CODE SAQ 11506120, 16,35 $
Élaboré avec 60 % de vidal et 40 % de seyval blanc, deux cépages hybrides qui résistent bien à notre climat, ce vin d'un vignoble réputé de la Montérégie a des notes d'agrumes et de fleur blanche. En bouche, on aimera son acidité et sa fraîcheur, avec la présence de la pomme verte et de l'asperge, qui en font un compagnon parfait de notre entrée printanière. Servir à 10 °C.

CRABE DES NEIGES PARFUMÉ À LA RACINE DE CÉLERI SAUVAGE, RÉMOULADE DE CÉLERI-RAVE AU NARD DES PINÈDES, SAUCE VIERGE AU CÉLERI ET À LA POMME

4 PORTIONS

Crabe des neiges

360 g (12 oz) de crabe des neiges décortiqué

1 c. à soupe de mayonnaise (maison, de préférence)

1 c. à soupe d'huile de canola

10 tiges de ciboulette ciselées

1 c. à soupe de racine de céleri sauvage
(ou de poudre de céleri)

Sel et poivre, au goût

Rémoulade de céleri-rave

300 g (2 tasses) de céleri-rave coupé en julienne

85 ml (⅓ tasse) de mayonnaise (maison, de préférence)

4 ciboules (oignons verts) hachées finement

1 c. à soupe de vinaigre de cidre

½ c. à café de nard des pinèdes* moulu

1 pomme coupée en julienne

Sauce vierge au céleri et à la pomme

4 c. à soupe de céleri coupé en brunoise

4 c. à soupe de pomme coupée en brunoise

4 c. à soupe d'échalote coupée en brunoise

4 c. à soupe d'huile de canola

4 c. à soupe de vinaigre de cidre

4 feuilles de céleri hachées

Croûtons

½ baguette (de la veille) tranchée finement

Huile de canola

Garniture

1 pomme coupée en julienne

1 c. à café de vinaigre de cidre

1 c. à café de jus de pomme

Crabe des neiges

Dans un bol, mélanger délicatement tous les ingrédients et réserver.

Rémoulade de céleri-rave

Dans un autre bol, mélanger tous les ingrédients et réserver.

Sauce vierge au céleri et à la pomme

Dans un troisième bol, mélanger tous les ingrédients et réserver.

Croûtons

Préchauffer le four à 180 °C (350 °F). À l'aide d'un pinceau, badigeonner les tranches de baguette avec l'huile et déposer sur une plaque de cuisson recouverte de papier sulfurisé. Cuire au four de 10 à 12 minutes ou jusqu'à ce que le pain soit croustillant.

Garniture

Dans un bol, pour prévenir l'oxydation, mélanger la pomme avec le vinaigre de cidre et le jus de pomme. Réserver.

Dressage

Répartir la rémoulade dans quatre bols. À l'aide de deux cuillères à soupe, façonner la préparation de crabe en quenelles et les disposer sur un plateau de service. Arroser de sauce vierge et garnir de la julienne de pomme et des croûtons. Servir avec la rémoulade de céleri-rave.

* Voir le tableau de substitutions à la page 25.

À BOIRE!

QUAILS' GATE CHASSELAS/PINOT BLANC, CANADA (VALLÉE DE L'OKANAGAN), CODE SAQ 12133978, 20,05 $
L'horticulteur Richard Stewart a immigré d'Irlande en 1908, plantant dans l'Okanagan de nombreux vergers. À son tour, son fils Dick en a replanté plusieurs en vignobles. La troisième génération en a fait l'un des domaines les plus réputés d'Amérique. Quails' Gate produit des vins haut de gamme, dont un fameux pinot noir, et ce vin emblématique, assemblage délicat et frais de chasselas, de pinot blanc et de pinot gris, idéal avec le crabe des neiges ou les crevettes nordiques.

FRAÎCHEUR D'OMBLE CHEVALIER À LA BETTERAVE, AUX HERBES ET AUX FLEURS SAUVAGES

4 PORTIONS

Omble chevalier

100 g (½ tasse) de gros sel

50 g (½ tasse) de sucre d'érable (ou de cassonade)

1 filet de 500 g (1 lb) environ d'omble chevalier, sans peau ni arêtes

125 ml (½ tasse) de jus de betterave

Purée d'oignon

300 g (3 tasses) d'oignons blancs émincés

3 c. à soupe d'huile de canola

125 ml (½ tasse) d'eau

Sel et poivre, au goût

Eau froide, au besoin

Caramel de betterave

750 ml (3 tasses) de jus de betterave

2 c. à café de vinaigre de cassis

Chips d'oignon

Huile à friture

70 g (½ tasse) d'oignon blanc émincé à la mandoline

1 à 2 c. à soupe de farine blanche

Vinaigrette

3 c. à soupe de vinaigre de cidre

125 ml (½ tasse) d'huile de canola

4 tiges de ciboulette ciselées

1 petite échalote hachée finement

Dressage

10 g (½ tasse) de feuilles de pissenlit (ou de roquette)

125 ml (½ tasse) de cœurs d'asclépiade*

1 betterave chioggia coupée en fines rondelles

1 betterave rouge moyenne cuite, coupée en quartiers

125 ml (½ tasse) de fleurs sauvages

Omble chevalier

Dans un bol, mélanger le gros sel et le sucre d'érable. Déposer le filet d'omble dans un plat et répartir le mélange de gros sel dessus en frottant pour bien couvrir toute la surface. Verser le jus de betterave, couvrir d'une pellicule plastique et laisser mariner au réfrigérateur pendant 6 heures.

Retirer le poisson de la marinade, bien le rincer pour retirer le sel, l'éponger à l'aide d'un linge propre et le couper en 4 pavés. Réserver et laisser sécher de 2 à 4 heures à découvert au réfrigérateur.

Purée d'oignon

Chauffer le four à 190 °C (375 °F).

Mélanger les oignons avec l'huile de canola, saler et poivrer. Disposer sur une plaque de cuisson recouverte de papier sulfurisé. Faire rôtir au four de 15 à 20 minutes ou jusqu'à ce que les oignons soient bien colorés.

Déposer les oignons dans le bol d'un robot culinaire et mélanger jusqu'à l'obtention d'une purée lisse. Ajouter un peu d'eau, au besoin. Rectifier l'assaisonnement, au besoin. Réserver la moitié de la purée d'oignon. Dans un contenant hermétique, congeler l'autre moitié pour un usage ultérieur.

Caramel de betterave

Dans une casserole, verser le jus de betterave et faire réduire aux trois quarts à feu moyen, en retirant les impuretés qui remontent à la surface à l'aide d'une cuillère. Le caramel est prêt lorsqu'il a une texture lustrée et sirupeuse. Ajouter le vinaigre de cassis. Laisser refroidir à température ambiante.

Chips d'oignon

Dans une friteuse ou une casserole à haut rebord, faire chauffer l'huile à 160 °C (320 °F). Mélanger les oignons avec un peu de farine pour bien les enrober et secouer pour enlever l'excédent. Frire pendant 1 minute ou jusqu'à ce que les oignons soient légèrement dorés et croustillants. Égoutter sur des essuie-tout, saler et réserver.

Vinaigrette

Dans un bol, mélanger tous les ingrédients de la vinaigrette. Saler et poivrer, au goût. Réserver.

Dressage

Dans quatre assiettes, déposer les pavés d'omble chevalier. Dans un bol, mélanger les feuilles de pissenlit, les cœurs d'asclépiade, les rondelles et les quartiers de betterave avec la moitié de la vinaigrette aux herbes. Répartir dans les assiettes. Poursuivre avec des traits de caramel de betterave et arroser avec le reste de la vinaigrette. Garnir avec les fleurs sauvages, la purée et les chips d'oignon, et servir.

* Voir le tableau de substitutions à la page 25.

CARUSO & MININI TERRE DI GIUMARA GREGANICO, SICILE, VIN BLANC, CODE SAQ 11793181, 16,50 $
Voilà un vin italien généreux et polyvalent, délicieux autant avec un poisson délicat, comme l'omble chevalier, qu'avec du saumon fumé ou un risotto. Il est composé à 100 % de grecanico, un cépage autochtone qui lui confère des notes de fleur blanche, d'amande et de pomme jaune. D'une bonne longueur en bouche, il possède aussi une fraîcheur désaltérante. Servir à 8 °C.

TARTINES DE CREVETTES NORDIQUES AUX CŒURS DE QUENOUILLE, COULIS DE PISSENLIT ET MAYONNAISE AU SAPIN BAUMIER

4 PORTIONS

Crevettes

350 g (12 oz) de crevettes nordiques cuites et égouttées

1 c. à soupe d'échalote hachée

2 c. à soupe de cœurs de quenouille* coupés en dés

2 c. à soupe d'huile de canola

1 c. à soupe de persil haché

2 c. à soupe de ciboulette hachée

1 c. à soupe de feuilles de pissenlit hachées

Coulis de pissenlit

75 g (2 tasses) de jeunes feuilles de pissenlit (ou de mini-roquette)

1 petite gousse d'ail

4 c. à soupe d'huile de tournesol biologique

4 c. à soupe d'huile de canola

Sel et poivre, au goût

Mayonnaise au sapin baumier

4 c. à soupe de mayonnaise (maison, de préférence)

½ c. à soupe de pousses de sapin baumier moulues (ou 1 goutte d'essence de sapin baumier)

2 feuilles de laitue Boston en chiffonnade

Dressage

4 tranches de pain de miche (ou autre type de pain) grillées

4 feuilles de laitue Boston

Crevettes

Dans un bol, mélanger tous les ingrédients et rectifier l'assaisonnement au besoin. Réserver au réfrigérateur.

Coulis de pissenlit

Dans la jarre d'un mélangeur, mettre le pissenlit et l'ail.

Dans une petite casserole, chauffer légèrement les huiles jusqu'à ce qu'elles soient chaudes, mais non bouillantes. Saler généreusement pour préserver le beau vert de l'huile. Actionner le mélangeur à vitesse moyenne et incorporer le mélange d'huiles en un mince filet jusqu'à l'obtention d'un coulis homogène. Réserver aussitôt au réfrigérateur pour préserver la couleur.

Mayonnaise au sapin baumier

Mélanger la mayonnaise avec les pousses de sapin baumier moulues, puis ajouter la chiffonnade de laitue. Saler et poivrer, au goût.

Dressage

Tartiner généreusement les tranches de pain grillé avec la mayonnaise. Ajouter une feuille de laitue sur chaque tranche de pain pour éviter que la salade la détrempe. Ajouter la salade de crevettes et arroser de coulis de pissenlit. Servir aussitôt.

* Voir le tableau de substitutions à la page 25.

CRÈME FROIDE D'ASPERGES, ŒUFS FRITS, GARNITURE DE LAMELLES D'ASPERGES CRUES ET DE MORILLES

4 PORTIONS

Crème d'asperges

1 c. à soupe d'huile de canola

1 c. à soupe de beurre

70 g (½ tasse) d'oignon blanc haché

45 g (½ tasse) de blanc de poireau lavé et émincé

1 litre (4 tasses) de bouillon de légumes

70 g (¼ tasse) de pomme de terre pelée et coupée en dés

400 g (14 oz) d'asperges pelées, coupées en tronçons de 5 cm (2 po)

125 ml (½ tasse) de crème à cuisson 35 %

Sel et poivre, au goût

Œufs frits

Huile à friture

4 œufs pochés + 1 œuf battu

60 g (½ tasse) de farine

60 g (½ tasse) de chapelure

Garniture de lamelles d'asperges crues et de morilles

1 échalote émincée

4 morilles fraîches, bien nettoyées, coupées en morceaux (ou 4 morilles séchées, trempées dans l'eau bouillante 30 minutes)

4 c. à soupe d'huile de canola

1 c. à soupe de vinaigre de vin rouge

2 asperges coupées en lamelles

Crème d'asperges

Dans un faitout, chauffer l'huile et le beurre à feu doux. Ajouter l'oignon et le poireau, saler et faire suer pendant 10 minutes. Ajouter le bouillon et la pomme de terre. À feu moyen, porter à ébullition et cuire 5 minutes ou jusqu'à ce que la pomme de terre soit cuite. Ajouter les asperges et cuire 5 minutes.

Au mélangeur à main, mixer le potage, puis le passer au tamis pour le filtrer. Verser dans un bol et réfrigérer.

À l'aide d'un fouet, mélanger le potage très froid avec la crème. Réserver au réfrigérateur.

Œufs frits

Préchauffer l'huile de la friteuse ou d'une casserole munie d'un haut rebord à 180 °C (350 °F). Paner à l'anglaise en roulant délicatement les œufs pochés dans la farine, puis dans l'œuf battu et ensuite dans la chapelure. Frire de 2 à 3 minutes. Égoutter sur des essuie-tout.

Garniture de lamelles d'asperges crues et de morilles

Dans une poêle, faire suer les échalotes et les morilles dans 1 c. à soupe d'huile pendant une dizaine de minutes. Déglacer avec le vinaigre de vin rouge, retirer du feu et ajouter le reste de l'huile. Refroidir. Mélanger avec les lamelles d'asperges, saler et poivrer, au goût.

Dressage

Répartir la crème d'asperges bien froide dans quatre bols, ajouter la garniture d'asperges crues et de morilles. Ajouter un œuf frit dans chaque bol et servir.

À BOIRE !

LA BOLÉE DU MINOT RÉSERVE, CIDRE LÉGER, CANADA (QUÉBEC), CODE SAQ 00511956, 12 $

Robert et Joëlle Demoy ont quitté leur Bretagne natale en 1970 pour s'établir à Hemmingford, puis fonder la Cidrerie du Minot en 1987. Leurs deux enfants ont maintenant pris la relève. Ce cidre léger (7 % d'alcool) est délicieux à l'heure du brunch, avec des crêpes ou une entrée de légumes, comme cette crème d'asperges. Jaune pâle, il séduit par ses arômes floraux, avec des notes de miel et de pomme dorée. En bouche, il est bien sec, avec une bonne fraîcheur et une finale assez persistante. Servir entre 8 et 10 °C.

CHAUDRÉE DE PRINTEMPS AUX MOULES, CREVETTES, BUCCINS, OMBLE CHEVALIER, ALGUES ET CONDIMENT DE POIREAU

4 PORTIONS

Condiment de poireau

40 g (½ tasse) de blanc de poireau haché finement

4 c. à soupe de vinaigre de cidre

4 c. à soupe d'huile de canola

Sel et poivre, au goût

Chaudrée

3 c. à soupe d'huile de canola

1 c. à soupe de beurre

170 g (1 tasse) d'oignons blancs hachés

160 g (2 tasses) de poireaux hachés

150 g (1 tasse) de pomme de terre pelée et coupée en dés

1 gousse d'ail hachée finement

1 c. à soupe de poudre d'algues*

125 ml (½ tasse) de vin blanc

1 litre (4 tasses) de bouillon de poisson (ou de bouillon de légumes)

Jus de cuisson des moules (filtré dans une passoire)

250 ml (1 tasse) de crème à cuisson 35 %

100 g (⅔ tasse) de pomme de terre pelée et coupée en dés

100 g (4 oz) de moules cuites, sans coquilles

100 g (4 oz) de buccins coupés en morceaux

100 g (4 oz) de crevettes nordiques

200 g (7 oz) d'omble chevalier ou de saumon, sans peau, coupé en petits cubes

Condiment de poireau

Mélanger tous les ingrédients. Rectifier l'assaisonnement au besoin. Réserver.

Chaudrée

Dans un faitout, chauffer l'huile et le beurre à feu moyen-doux et faire suer l'oignon, le poireau, la pomme de terre, l'ail et la poudre d'algue pendant 10 minutes. Ajouter le vin blanc, le bouillon et le jus de cuisson des moules, et porter à ébullition à feu moyen-vif. Réduire à feu moyen-doux et cuire de 5 à 10 minutes ou jusqu'à ce que les légumes soient cuits. Passer au mélangeur et filtrer dans une passoire fine. Remettre dans le faitout, ajouter la crème et chauffer à feu moyen jusqu'à frémissement.

Ajouter les pommes de terre dans le bouillon et cuire 5 minutes. Ajouter les moules, les buccins, les crevettes et l'omble. Rectifier l'assaisonnement au besoin et laisser frémir la chaudrée 2 minutes avant de la servir, accompagnée d'un peu de condiment de poireau.

* Voir le tableau de substitutions à la page 25.

HOMARDS ET ASPERGES GRILLÉS, VINAIGRETTE AU SIROP DE BOULEAU ET AU RADIS NOIR, SALADE DE MILLET

4 PORTIONS

Vinaigrette

85 g (⅓ tasse) d'échalote hachée finement

85 g (⅓ tasse) de radis noir (ou de radis) coupé en brunoise

2 ciboules (oignons verts) hachées

2 c. à soupe de sirop de bouleau (ou de sirop d'érable)

60 ml (¼ tasse) de vinaigre de cidre

125 ml (½ tasse) d'huile de canola

Sel et poivre, au goût

Salade de millet

750 ml (3 tasses) de bouillon de légumes

2 feuilles de laurier

2 branches de thym

190 g (1 tasse) de millet bien rincé

4 tiges de ciboulette hachées

½ oignon rouge haché finement

3 c. à soupe de vinaigrette (ou un peu plus)

Homards et asperges grillés

4 homards de 575 g à 700 g (1 ¼ lb à 1 ½ lb) chacun

1 c. à soupe d'huile de canola

500 g (1 lb) d'asperges parées

65 ml (¼ tasse) d'huile de canola

2 c. à soupe d'huile de pépins de canneberges

Vinaigrette

Mélanger tous les ingrédients de la vinaigrette. Saler et poivrer. Réserver.

Salade de millet

Dans une casserole, à feu moyen-vif, mélanger le bouillon, le laurier et le thym et porter à ébullition. Réduire à feu doux, ajouter le millet, couvrir et cuire jusqu'à absorption complète du liquide. Refroidir et réserver.

Dans un bol, mélanger le millet, la ciboulette et l'oignon rouge. Ajouter suffisamment de vinaigrette pour bien imbiber, saler, poivrer et réserver.

Homards et asperges grillés

Dans une marmite d'eau bouillante très salée, cuire les homards pendant 4 minutes. Retirer de l'eau bouillante et plonger dans un bain d'eau glacée pour les refroidir. Ils seront partiellement cuits.

Préchauffer le barbecue à intensité moyenne-élevée et bien huiler la grille. Huiler les asperges et les faire griller pendant 3 minutes. Retourner et poursuivre la cuisson 2 minutes. Ne pas trop cuire. Réserver au chaud, sur la grille du haut du barbecue, pendant que le homard cuit.

À l'aide d'un couteau de cuisine solide, couper les homards précuits sur la longueur. Badigeonner d'huile de pépins de canneberges, saler et poivrer, puis placer sur la grille, côté chair, et cuire de 2 à 4 minutes, selon la grosseur.

Dresser les asperges et les homards grillés sur un plateau, arroser d'un peu de vinaigrette et accompagner de la salade de millet. Servir le reste de la vinaigrette à part.

PAVÉS DE FLÉTAN, CONCASSÉ DE TÊTES DE VIOLON AU BEURRE NOISETTE, GREMOLATA BORÉALE À LA SALICORNE, POMMES DE TERRE VAPEUR

4 PORTIONS

Gremolata

4 c. à soupe de salicorne* hachée

4 c. à soupe de persil de mer* haché

2 c. à soupe de ciboulette ciselée

½ c. à soupe d'ail haché

2 c. à soupe de vinaigre de cidre

4 c. à soupe d'huile de canola

Sel et poivre, au goût

Concassé de têtes de violon

500 g (3 tasses) de têtes de violon parées

50 g (¼ tasse) de beurre

40 g (¼ tasse) de chapelure

Pommes de terre vapeur

900 g (4 tasses) de pommes de terre rattes

Pavés de flétan

4 pavés de flétan de 170 g (6 oz) chacun

2 c. à soupe d'huile de canola

2 c. à soupe de beurre

2 gousses d'ail écrasées, avec la pelure

2 branches de thym hachées finement

Gremolata

Dans un bol, mélanger tous les ingrédients. Saler et poivrer. Réserver.

Concassé de têtes de violon

Porter une casserole d'eau salée à ébullition à feu vif. Ajouter les têtes de violon et, après reprise de l'ébullition, les blanchir 2 minutes. Égoutter et plonger dans de l'eau glacée pour arrêter la cuisson. Répéter l'opération deux fois. Égoutter et hacher grossièrement au couteau. Réserver.

Juste avant le service, dans une poêle, à feu moyen-vif, chauffer le beurre jusqu'à ce qu'il soit de couleur noisette. Ajouter la chapelure, retirer du feu et mélanger. Ajouter les têtes de violon, saler et poivrer. Réserver au chaud.

Pommes de terre vapeur

Cuire les pommes de terre à la vapeur jusqu'à tendreté. Couper en deux sur la longueur et réserver au chaud.

Pavés de flétan

Saler et poivrer le poisson. Dans une poêle, chauffer l'huile à feu vif. Ajouter le beurre, faire mousser et ajouter le poisson, l'ail et le thym. Saisir le poisson de 3 à 4 minutes par côté jusqu'à l'obtention d'une belle coloration. Retirer du feu et recouvrir de papier d'aluminium. Laisser reposer pendant 5 minutes.

Dressage

À l'aide d'un emporte-pièce, dresser le concassé de têtes de violon dans chaque assiette. Déposer un pavé de flétan sur le dessus, parsemer d'un peu de gremolata et servir avec les pommes de terre vapeur.

* Voir le tableau de substitutions à la page 25.

RISOTTO D'ORGE AUX PLEUROTES ET AUX ALGUES, PÉTONCLES RÔTIS ET COPEAUX DE TOMME D'ELLES

4 PORTIONS

Risotto

3 c. à soupe d'huile de canola
+ 4 c. à soupe

1 échalote hachée finement

450 g (1 lb) de pleurotes effilochés

1,5 à 2 litres (6 à 8 tasses)
de bouillon de légumes

1 oignon moyen haché

1 c. à soupe d'ail haché

250 g (1 ⅓ tasse) d'orge mondé

125 ml (½ tasse) de vin blanc

2 branches de thym

2 feuilles de laurier

4 c. à soupe de beurre

125 g (4 oz) de Tomme d'Elles râpée
+ quelques copeaux pour garnir

2 c. à soupe de poudre d'algues*

3 ciboules (oignons verts)
hachées finement

Sel et poivre, au goût

Pétoncles rôtis

1 c. à soupe de beurre

1 c. à soupe d'huile de canola

12 gros pétoncles (grosseur U10)

Risotto

Dans une poêle, chauffer 3 c. à soupe d'huile à feu moyen-vif et y faire sauter l'échalote et les pleurotes pendant 5 minutes. Saler et poivrer. Réserver.

Dans une casserole, à feu moyen-vif, verser le bouillon de légumes et l'amener sous le point d'ébullition. Réduire le feu et maintenir chaud, sans faire bouillir.

Dans un faitout, chauffer 4 c. à soupe d'huile à feu doux. Ajouter l'oignon et l'ail, et faire suer, sans laisser colorer, pendant 3 minutes. Ajouter l'orge et poursuivre la cuisson pendant 5 minutes, en remuant. Déglacer avec le vin blanc et laisser l'orge absorber le vin, en remuant pour l'empêcher de coller. Une fois le vin blanc absorbé, ajouter 250 ml (1 tasse) de bouillon de légumes, le thym et le laurier, et mélanger. Laisser l'orge absorber le bouillon en remuant fréquemment.

Répéter l'opération jusqu'à ce que l'orge soit cuit, mais encore al dente, soit de 30 à 45 minutes. Ajouter le beurre, le fromage râpé, la poudre d'algues, les ciboules et les pleurotes réservés, et bien réchauffer. Rectifier l'assaisonnement au besoin.

Pétoncles

Chauffer une poêle antiadhésive à feu vif. Ajouter le beurre et l'huile et faire mousser. Ajouter les pétoncles en deux fois, saler et poivrer, et saisir de 1 à 2 minutes de chaque côté afin d'obtenir une belle coloration. Servir avec le risotto et garnir de copeaux de Tomme d'Elles.

* Voir le tableau de substitutions à la page 25.

TARTARE DE TRUITE DE NOS LACS À L'HUILE DE PÉPINS DE CANNEBERGES, SALADE D'HÉMÉROCALLES, ÉCHALOTES FRITES

4 PORTIONS

Échalotes frites

Huile à friture

2 petites échalotes émincées
à la mandoline

1 c. à soupe de farine

Sel

Tartare

600 g (1 ⅓ lb) de filets de truite, sans peau ni arêtes

60 ml (¼ tasse) d'huile de canola

60 ml (¼ tasse) d'huile de pépins de canneberges

60 ml (¼ tasse) de vinaigre de canneberges

2 échalotes hachées finement

2 c. à soupe de canneberges fraîches, coupées en moitiés

2 c. à soupe de canneberges séchées, hachées finement

4 tiges de ciboulette ciselées

Sel et poivre, au goût

Croûtons maison (pour le service)

Salade d'hémérocalles

200 g (2 tasses) de tiges d'hémérocalles, blanchies, coupées en deux

100 g (1 tasse) de boutons d'hémérocalles

20 g (1 tasse) de roquette

2 ciboules (oignons verts) hachées finement

2 c. à soupe d'huile de canola

Frites

Huile à friture

4 pommes de terre Yukon Gold, lavées, non pelées

Échalotes frites

Dans une friteuse ou une casserole à haut rebord, chauffer l'huile à 160 °C (325 °F).

Dans un petit bol, mélanger les échalotes avec la farine et secouer pour enlever l'excédent. Frire de 2 à 3 minutes ou jusqu'à ce que les échalotes soient légèrement dorées et croustillantes. Égoutter sur des essuie-tout et saler. Réserver.

Tartare

À l'aide d'un couteau bien aiguisé, hacher finement la truite en très petits dés. Mettre dans un bol et réserver au réfrigérateur.

Dans un autre bol, mélanger le reste des ingrédients pour faire la sauce.

Assaisonner la truite avec 4 c. à soupe de la sauce. Réserver le reste de la sauce pour la salade. Rectifier l'assaisonnement du tartare au besoin et remettre au réfrigérateur jusqu'au moment de servir. Mélanger juste avant de servir, pour ne pas cuire la truite.

Au moment de dresser le tartare, ajouter de l'échalote frite, au goût.

Salade d'hémérocalles

Dans une casserole d'eau salée, blanchir les tiges d'hémérocalles pendant 3 minutes. Plonger aussitôt dans de l'eau glacée pour arrêter la cuisson et fixer la couleur. Égoutter sur des essuie-tout. Dans un bol, mélanger les boutons d'hémérocalles, la roquette, les ciboules, l'huile et les tiges d'hémérocalles. Saler et poivrer. Ajouter 2 c. à soupe de sauce tartare et réserver.

Frites

Dans une friteuse ou une casserole à haut rebord, chauffer l'huile à 160 °C (325 °F). Couper les pommes de terre en bâtonnets de 1 cm (½ po) d'épaisseur. Blanchir une première fois les pommes de terre pendant 5 minutes. Égoutter et refroidir.

Au moment de servir, chauffer l'huile de la friteuse à 180 °C (350 °F). Cuire les pommes de terre de 4 à 5 minutes ou jusqu'à ce qu'elles soient bien dorées et croustillantes. Égoutter sur des essuie-tout, puis saler et poivrer.

Servir le tartare avec la salade, les frites et des croûtons maison.

CÔTES LEVÉES DE BISON AU RHUM CHIC CHOC, SALADE DE CHOU FAÇON CÉSAR NORDIQUE ET TOPINAMBOURS RÔTIS

4 PORTIONS

Côtes levées au rhum Chic Choc

800 g (1 ½ lb) de côtes levées
de bison nettoyées (ou de côtes de bœuf)

1 carotte coupée en dés

1 oignon coupé en dés

2 branches de céleri coupées en dés

1 tête d'ail coupée en deux sur l'épaisseur

2 feuilles de laurier

2 branches de thym

1 c. à café de poivre en grains

Eau (pour recouvrir la viande)

2 c. à soupe d'huile de canola

4 échalotes hachées finement

2 c. à soupe d'ail haché

125 ml (½ tasse) de sirop d'érable

500 ml (2 tasses) de rhum Chic Choc

2 litres (8 tasses) de fond de veau

Salade de chou

125 ml (½ tasse) de mayonnaise
(maison, de préférence)

2 c. à soupe de boutons de marguerite* hachés

½ c. à soupe d'ail haché

1 c. à soupe de hareng fumé et haché
(ou de saumon fumé)

1 c. à soupe de persil haché

1 c. à soupe de vinaigre de cidre

90 g (2 tasses) de chou frisé (kale) émincé
finement

125 g (2 tasses) de chou vert émincé finement

125 g (2 tasses) de chou rouge émincé finement

6 tranches de bacon cuites et égouttées,
coupées en dés

¼ d'oignon rouge haché finement

1 tasse de croûtons (maison, de préférence)

Sel et poivre, au goût

Topinambours

900 g (2 lb) de topinambours lavés
et coupés en deux

2 c. à soupe d'huile de canola

Côtes levées au rhum Chic Choc

Dans une grande casserole, mettre les côtes levées, la carotte, l'oignon, le céleri, l'ail, le laurier, le thym et le poivre, et mouiller d'eau jusqu'à la hauteur de la viande. À feu moyen-vif, porter à ébullition, écumer, puis baisser le feu et laisser mijoter pendant 30 minutes. Retirer les côtes levées de la casserole et les déposer dans un plat à gratin.

Préchauffer le four à 150 °C (300 °F).

Dans un faitout, chauffer l'huile et faire revenir les échalotes et l'ail à feu doux pendant 3 minutes. Déglacer avec le sirop d'érable et cuire, à feu doux, pendant 10 minutes ou jusqu'à ce que le sirop bouillonne. Ajouter le rhum et laisser réduire de moitié. Ajouter le fond de veau, augmenter le feu à moyen-vif et porter à ébullition. Verser la sauce sur les côtes levées, couvrir et cuire au four de 4 à 5 heures ou jusqu'à ce que la chair se détache facilement de l'os.

Salade de chou

Dans un bol, mélanger la mayonnaise, les boutons de marguerite, l'ail, le hareng, le persil et le vinaigre de cidre. Ajouter le chou frisé, le chou vert, le chou rouge, le bacon et l'oignon. Saler et poivrer, au goût. Bien mélanger et laisser mariner 30 minutes au réfrigérateur. Au moment de servir, ajouter les croûtons.

Topinambours

Préchauffer le four à 200 °C (400 °F).

Dans un bol, mélanger les topinambours avec l'huile, saler et poivrer, et disposer sur une plaque de cuisson recouverte de papier sulfurisé. Rôtir au four de 10 à 15 minutes ou jusqu'à ce qu'ils soient tendres. Réserver au chaud et servir avec les côtes levées et la salade de chou.

* Voir le tableau de substitutions à la page 25.

FEUILLETÉS DE SUPRÊMES DE PINTADE, DUXELLES, ÉPINARDS ET ORPIN, CRÈME À L'ORTIE

4 PORTIONS

Duxelles (voir ▷)

3 c. à soupe d'huile de canola

140 g (2 tasses) de champignons de Paris émincés

14 g (½ oz) de champignons séchés

125 ml (½ tasse) de vin blanc

125 ml (½ tasse) d'eau

1 c. à soupe d'ail haché

4 c. à soupe d'échalote hachée

1 c. à soupe de noix de noyer noir concassées (ou noix de Grenoble)

Huile de canola

Sel et poivre, au goût

Feuilletés de pintade

2 c. à soupe d'huile de canola

4 suprêmes de pintade, avec la peau

1 paquet de pâte feuilletée du commerce bien froide

1 œuf battu avec 1 c. à soupe d'eau (dorure)

Crème à l'ortie (voir ▷▷)

½ oignon émincé

2 c. à soupe de beurre

40 g (2 tasses) de feuilles d'ortie (ou de mini-roquette)

125 ml (½ tasse) de crème à cuisson

125 ml (½ tasse) de bouillon de légumes

Épinards et orpin

125 g (4 tasses) d'épinards

150 g (4 tasses) d'orpin

1 c. à soupe d'huile de champignons

Duxelles

Dans une poêle, chauffer l'huile à feu moyen-vif et faire sauter les champignons de Paris pendant 5 minutes. Ajouter les champignons séchés et poursuivre la cuisson 1 minute. Déglacer avec le vin blanc et l'eau et laisser réduire de moitié. Ajouter l'ail et l'échalote, et cuire 3 minutes.

Verser la préparation de champignons dans le bol du robot culinaire et laisser refroidir. Hacher le mélange en prenant soin de conserver la texture des champignons. Ajouter un peu d'huile, au besoin. Ajouter les noix de noyer, saler et poivrer. Mélanger et réserver.

Feuilletés de pintade

Préchauffer le four à 190 °C (375 °F).

Dans une poêle, à feu vif, chauffer l'huile et bien colorer les suprêmes de tous les côtés. Retirer du feu avant la fin de la cuisson et laisser refroidir au réfrigérateur.

À l'aide d'un rouleau à pâtisserie, abaisser la pâte feuilletée à 0,5 cm (¼ po) d'épaisseur. Tailler 4 formes rondes d'environ 10 cm (4 po) de diamètre. Abaisser de nouveau légèrement chaque cercle de pâte pour obtenir une forme ovale de 3 mm (⅛ po) d'épaisseur. Déposer 2 c. à soupe de duxelles au centre de chaque cercle de pâte et réserver le reste pour la garniture.

Déposer un suprême de pintade, côté peau dessous, sur chaque cercle de pâte feuilletée, directement sur la duxelles. À l'aide d'un pinceau, badigeonner les extrémités de la pâte de dorure et les replier l'une sur l'autre, puis badigeonner les feuilletés avec le reste de la dorure. Déposer sur une plaque de cuisson recouverte de papier sulfurisé et cuire pendant 15 minutes.

Crème à l'ortie

Dans une casserole, faire suer l'oignon dans le beurre à feu doux pendant 5 minutes. Ajouter le bouillon et la crème, et porter à ébullition à feu moyen-vif. Réduire le feu et laisser mijoter pendant 5 minutes. Retirer du feu et ajouter l'ortie. Au mélangeur, réduire en crème lisse. Remettre dans la casserole et réserver au chaud.

Épinards et orpin

Juste avant de servir, dans un bol, mélanger les épinards et l'orpin avec le reste de la duxelles et l'huile de champignons. Saler et poivrer.

Servir les feuilletés accompagnés du mélange d'épinards et de crème à l'ortie.

▷　La duxelles est un mélange de champignons cuits et hachés, utilisé pour garnir des plats de viande, de volaille et de gibier.

▷▷　Si désiré, vous pouvez ajouter quelques feuilles d'ail des bois dans votre crème à l'ortie. On en trouve facilement dans les sous-bois au début du printemps. Ne pas cueillir de tiges ni d'ail des bois, qui est une espèce menacée.

MÉDAILLONS DE VEAU EN CROÛTE DE CHAMPIGNONS CHAGA, CRÊPES DE PANAIS ET PANAIS RÔTI EN PERSILLADE

4 PORTIONS

Croûte de champignons chaga

60 g (½ tasse) de chapelure

125 g (4 oz) de beurre pommade (voir ▷)

65 g (⅔ tasse) de cheddar râpé

3 c. à soupe de poudre de champignons chaga (ou autre variété de champignons séchés) (voir ▷▷)

Panais en persillade

750 g (4 tasses) de panais pelé et coupé en bâtonnets

125 ml (½ tasse) d'huile de canola

120 g (1 tasse) de persil haché finement

4 c. à soupe d'oignon blanc haché finement

1 c. à soupe d'ail haché

Sel et poivre, au goût

Crêpes de panais

4 c. à soupe de farine

2 œufs

225 g (1 ½ tasse) de pommes de terre pelées et cuites

75 g (½ tasse) de panais cuit

3 c. à soupe de lait

Médaillons de veau

4 médaillons de filet de veau de 180 g (6 oz) chacun

2 c. à soupe d'huile de canola

2 c. à soupe de beurre

4 gousses d'ail entières, avec la pelure

4 branches de thym

Croûte de champignons chaga

Dans un bol, mélanger la chapelure et le beurre. Ajouter le fromage et la poudre de champignons. Mélanger jusqu'à l'obtention d'une boule de pâte. Placer entre 2 feuilles de papier sulfurisé et, à l'aide d'un rouleau à pâtisserie, abaisser à une épaisseur d'environ 3 mm (⅛ po). Réserver au réfrigérateur.

Au moment de l'utilisation, couper des morceaux de la même taille que les médaillons de veau.

Panais en persillade

Préchauffer le four à 190 °C (375 °F).

Dans un bol, mélanger les panais et 2 c. à soupe d'huile, saler et poivrer, au goût. Disposer sur une plaque de cuisson recouverte de papier sulfurisé et rôtir au four de 10 à 15 minutes ou jusqu'à ce que les panais soient tendres.

Pendant ce temps, dans un bol, mélanger le persil, l'oignon, l'ail et le reste de l'huile. Saler et poivrer, au goût. Mélanger et réserver au réfrigérateur.

Au moment de servir, répartir la persillade sur les panais.

Crêpes de panais

Préchauffer le four à 180 °C (350 °F).

Dans un bol, à l'aide d'un mélangeur à main, mixer la farine, les œufs, les pommes de terre, les panais et le lait jusqu'à l'obtention d'une consistance lisse.

Chauffer une poêle antiadhésive à feu vif. Verser une petite louche du mélange (juste assez pour obtenir une crêpe de 7 cm/3 po de diamètre). Lorsque le dessous de la crêpe commence à dorer, la retourner et cuire jusqu'à ce qu'elle soit légèrement dorée. Répéter jusqu'à utilisation complète du mélange. Réserver au chaud.

Médaillons de veau

Saler et poivrer la viande. Dans une poêle, chauffer l'huile à feu moyen-vif. Ajouter le beurre et faire mousser. Ajouter les médaillons, puis l'ail et le thym. Saisir les médaillons de 2 à 3 minutes de chaque côté ou jusqu'à ce qu'ils soient bien colorés et rosés à cœur (56 °C/133 °F). Couvrir de papier d'aluminium et laisser reposer pendant 5 minutes.

Allumer le gril du four.

Déposer un carré de croûte de champignons chaga sur chaque médaillon, mettre sur une plaque de cuisson et cuire sous le gril pendant 2 minutes ou jusqu'à ce que la croûte soit dorée.

Dressage

Réchauffer les crêpes de panais 2 minutes au four, au besoin. Dans chaque assiette, disposer les crêpes, déposer les filets de veau dessus, ajouter les panais rôtis en persillade et servir.

▷ Le beurre pommade est un beurre à température ambiante, travaillé à la fourchette jusqu'à ce qu'il ait la consistance d'une pommade.

▷▷ Les champignons chaga (polypore oblique) sont réputés pour leurs propriétés médicinales. Ils poussent sur certains arbres, dont le bouleau. Ils sont faciles à reconnaître et à repérer : d'une couleur presque noire, ils ressemblent à une excroissance de l'arbre, poussent jusqu'à la taille d'un pamplemousse et sont souvent à la hauteur des yeux. Vous pouvez préparer la croûte de champignons chaga d'avance. Elle se congèle très bien.

WASHINGTON HILLS MERLOT, WASHINGTON STATE, CODE SAQ 10846641, 17,95 $
Les vins de cet État de la côte Ouest sont de plus en plus prisés des amateurs. Celui-ci, élaboré surtout avec du merlot, est particulièrement attrayant, avec un prix imbattable pour cette qualité. Ses notes de cerise, d'humus et de bois conviendront particulièrement bien à cette préparation dans laquelle le champignon est à l'honneur.

FLANC DE PORC BRAISÉ AU SIROP D'ÉRABLE ET AU CARVI SAUVAGE, TOMBÉE DE CHOU ROUGE AU BACON, GNOCCHIS DE POLENTA À LA COURGE

4 PORTIONS

Flanc de porc

800 g (1 ½ lb) de flanc de porc, paré et légèrement dégraissé

4 c. à soupe de gros sel

2 branches de thym

1 c. à soupe d'huile de canola

1 oignon coupé en dés

1 branche de céleri coupée en dés

1 c. à soupe de graines de carvi sauvage* moulues

250 ml (1 tasse) de sirop d'érable

250 ml (1 tasse) de vin blanc

1 tête d'ail coupée en deux sur l'épaisseur

750 ml (3 tasses) de fond brun

2 c. à soupe de vinaigre de cidre

Tombée de chou rouge au bacon

1 c. à soupe d'huile de canola

4 tranches de bacon hachées finement

250 g (4 tasses) de chou rouge émincé

1 c. à soupe d'ail haché

2 feuilles de laurier

2 c. à soupe de beurre

Sel et poivre, au goût

Gnocchis de polenta à la courge

125 ml (½ tasse) de bouillon de légumes

60 ml (¼ tasse) de lait

60 ml (¼ tasse) de purée de courge

54 g (⅓ tasse) de semoule de maïs

2 c. à soupe de cheddar vieilli râpé

4 c. à soupe de beurre

Flanc de porc

Frotter le flanc de porc avec le gros sel et déposer dans un plat. Ajouter le thym, couvrir d'une pellicule plastique et réfrigérer pendant 12 heures.

Préchauffer le four à 150 °F (300 °F).

Rincer le flanc de porc pour enlever le sel et bien éponger avec un linge propre. Réserver.

Dans un faitout, chauffer l'huile à feu moyen et faire revenir l'oignon et le céleri pendant 3 minutes. Ajouter les graines de carvi et cuire 2 minutes. Verser le sirop d'érable et faire réduire de moitié. Verser le vin blanc et faire réduire de moitié. Ajouter le fond brun, l'ail et le vinaigre de cidre. Porter à ébullition, ajouter le flanc de porc, couvrir et cuire au four pendant 4 heures ou jusqu'à ce que la chair se défasse à la fourchette. Retirer la viande du faitout, la déposer sur une assiette et réserver.

Filtrer le jus de cuisson à l'aide d'une passoire, remettre dans le faitout et faire réduire à feu moyen jusqu'à consistance sirupeuse.

Tombée de chou rouge au bacon

Entre-temps, dans une casserole, chauffer l'huile à feu moyen et faire revenir le bacon jusqu'à ce qu'il soit doré et croustillant. Ajouter le chou, l'ail, le laurier et le beurre. Bien mélanger, couvrir, réduire le feu et laisser cuire environ 30 minutes ou jusqu'à ce que le chou soit tendre, en remuant à l'occasion. Saler et poivrer au goût.

Gnocchis de polenta à la courge

Dans une casserole, à feu vif, porter à ébullition le bouillon, le lait et la purée de courge. Verser la semoule de maïs en pluie, en remuant constamment à l'aide d'un fouet. Réduire à feu moyen et continuer de cuire, sans cesser de remuer, de 10 à 15 minutes ou jusqu'à ce que la semoule soit cuite. Ajouter le fromage et la moitié du beurre, saler et poivrer.

Verser la polenta dans une poche à pâtisserie ou un sac de plastique pour congélation coupé en pointe à l'une des extrémités pour faire un embout. Façonner de petits boudins sur une plaque de cuisson recouverte de papier sulfurisé et réfrigérer pendant 30 minutes.

Au moment de servir, tailler les boudins en morceaux de 2,5 cm (1 po). Chauffer une poêle à feu moyen, ajouter le reste du beurre et faire revenir les gnocchis jusqu'à ce qu'ils soient bien chauds.

Servir le flanc de porc avec la tombée de chou rouge au bacon et les gnocchis.

* Voir le tableau de substitutions à la page 25.

À BOIRE!

BERSANO COSTALUNGA, VIN ROUGE, ITALIE, CODE SAQ 00506824, 16,60 $
Avec ce porc braisé, il faut un vin tout en rondeur, avec beaucoup de fruit, d'une excellente maison du Piémont. Le cépage barbera d'asti est parfait, avec sa belle couleur tirant sur le violet, ses notes de cerise, de framboise et de fleur de tilleul. Muni de tanins enrobés d'une agréable souplesse, il sera à son meilleur servi à 16 °C pour mieux faire ressortir son fruité généreux.

FRAISES AU BAUME DE MÉLISSE, SABLÉS À LA FLEUR DE MÉLILOT, CRÈME FOUETTÉE AU MIEL

4 PORTIONS

Sablés à la fleur de mélilot

200 g (7 oz) de beurre non salé

1 c. à café de sel

300 g (2 ½ tasses) de farine

4 c. à soupe de sucre

6 c. à soupe de sucre glace

½ c. à soupe de fleur de mélilot* séchée

Fraises

450 g (1 ¾ tasse) de fraises du printemps, coupées en deux

1 c. à soupe de miel

3 c. à café de vinaigre de miel

4 feuilles de baume de mélisse* ciselées (ou 1 goutte d'essence de baume de mélisse)

Crème fouettée au miel

125 ml (½ tasse) de crème à fouetter

1 c. à soupe de miel

Sablés à la fleur de mélilot

Préchauffer le four à 180 °C (350 °F).

Dans un bol, à l'aide d'une maryse, sabler le beurre, le sel et la farine. Ajouter le sucre, le sucre glace et la fleur de mélilot et mélanger jusqu'à l'obtention d'une boule de pâte homogène.

Sur une surface légèrement farinée, à l'aide d'un rouleau à pâtisserie, abaisser la pâte uniformément à une épaisseur de 1 cm (½ po). Déposer sur une plaque de cuisson et réfrigérer de 15 à 30 minutes. Découper en bâtonnets d'environ 2 cm (¾ po) de largeur et de 10 cm (4 po) de longueur, et cuire au four pendant 20 minutes.

Fraises

Dans un bol, mélanger délicatement les fraises, le miel, le vinaigre de miel et le baume de mélisse. Laisser macérer 15 minutes.

Crème fouettée au miel

Dans un bol, verser la crème et ajouter le miel. À l'aide d'un batteur électrique, monter en pics fermes.

Dressage

Répartir les fraises dans quatre assiettes de service. Garnir de rosaces de crème fouettée et accompagner des sablés.

* Voir le tableau de substitutions à la page 25.

MILLEFEUILLES TOUT ÉRABLE

4 PORTIONS

Crème pâtissière

300 ml (1 ¼ tasse) de lait

180 ml (¾ tasse) de sirop d'érable
+ 125 ml (½ tasse)

2 œufs

50 g (⅓ tasse) de fécule de maïs

1 feuille de gélatine trempée dans
125 ml (½ tasse) d'eau

1 c. à soupe de beurre

Feuilletés

1 paquet de pâte feuilletée du
commerce, bien froide

Garniture de sirop d'érable

125 ml (½ tasse) de sirop d'érable
(pour glacer)

Crème pâtissière

Dans une casserole, à feu moyen-doux, chauffer le lait avec 150 ml (¾ tasse) de sirop d'érable, sans porter à ébullition.

Dans un autre bol, à l'aide d'un fouet, mélanger les œufs, la fécule de maïs et 125 ml (½ tasse) de sirop d'érable. Tout en fouettant, verser la moitié du lait chaud sur le mélange d'œufs, puis verser le tout dans la casserole. Porter à ébullition en mélangeant constamment, jusqu'à épaississement. Ajouter la gélatine gonflée et bien mélanger. Verser dans un bol, ajouter le beurre et bien mélanger pour l'incorporer parfaitement. Déposer une pellicule plastique directement sur la crème pâtissière et réfrigérer pendant 4 heures.

Feuilletés

Chauffer le four à 180 °C (350 °F).

Piquer la pâte feuilletée à l'aide d'une fourchette. Tailler des bandes de 10 cm x 3,5 cm (4 po x 1 ½ po). Sur une plaque de cuisson recouverte de papier sulfurisé, déposer les bandes de pâte et placer une grille à biscuits directement dessus, de façon à contrôler la pousse et à laisser respirer le feuilleté. Cuire au four pendant 25 minutes. Retirer les bandes de pâte de la plaque et laisser refroidir à température ambiante. À l'aide d'un couteau bien aiguisé, couper en deux sur l'épaisseur.

Dressage

Placer un premier feuilleté sur une planche de travail. À l'aide d'une poche à pâtisserie ou d'un sac de plastique pour congélation coupé en pointe à l'une des extrémités pour faire un embout, façonner de fines bandes de crème pâtissière sur la largeur du feuilleté, de manière à bien le remplir. Placer un feuilleté sur le dessus et répéter l'opération. Terminer avec un feuilleté et glacer le dessus avec le sirop d'érable. Procéder de la même manière pour les autres millefeuilles.

À BOIRE !

INTERMIEL GÉLINOTTE, BOISSON À L'ÉRABLE, 375 ML, CANADA (QUÉBEC), CODE SAQ 10330759, 22,05 $
Pour être mis en valeur comme il se doit, ce millefeuille requiert une boisson à l'érable parfumée et onctueuse. Ici, l'érable est très présent, autant au nez qu'en bouche, avec des arômes de café et de caramel bien cuit pour le compléter. Un régal ! Servir autour de 8 °C.

PARFAITS GLACÉS À L'ÉRABLE ET AU POIVRE DES DUNES, ÉCLATS DE MERINGUE

4 PORTIONS

Meringue

4 blancs d'œufs

240 g (1 ¼ tasse) de sucre

1 pincée de crème de tartre

1 c. à soupe de flocons d'érable

Parfaits

170 ml (⅔ tasse) de sirop d'érable

4 jaunes d'œufs

190 ml (¾ tasse) de crème à fouetter

1 c. à café de poivre des dunes*

Meringue

Préchauffer le four à 110 °C (225 °F).

Remplir d'eau la partie inférieure d'un bain-marie au tiers de sa hauteur et porter à ébullition. Réduire le feu et laisser l'eau frémir, sans bouillir. Placer la partie supérieure du bain-marie sur la casserole (ou un cul-de-poule en inox de la taille appropriée) et y mettre les blancs d'œufs, le sucre et la crème de tartre. À l'aide d'un fouet, monter en neige énergiquement jusqu'à la température de 53 °C, puis retirer du feu pour éviter de cuire le blancs d'œufs.

Sur une plaque de cuisson recouverte de papier sulfurisé, étaler la meringue refroidie le plus finement possible (5 mm / ¼ po environ) et saupoudrer de flocons d'érable. Mettre au four et laisser sécher parfaitement pendant 3 heures environ en laissant la porte du four entrouverte pour éviter que la meringue ne brunisse. Retirer du four, saupoudrer la meringue de flocons d'érable, laisser refroidir et concasser grossièrement, de manière à obtenir des éclats de meringue. Réserver.

Parfaits

Dans une casserole, cuire le sirop d'érable jusqu'à 118 °C (245 °F). Verser immédiatement sur les jaunes d'œufs et battre vigoureusement à l'aide d'un batteur électrique, jusqu'à refroidissement complet.

À l'aide d'un batteur électrique, fouetter la crème jusqu'à l'obtention de pics fermes. Incorporer au mélange de jaunes d'œufs refroidis et ajouter le poivre des dunes en pliant délicatement. Verser la préparation dans quatre verrines et congeler pendant au moins 4 heures. Servir les parfaits garnis d'éclats de meringue.

* Voir le tableau de substitutions à la page 25.

À BOIRE !

CIDRERIE DU MINOT, CRÉMANT DE GLACE TÊTE DE CUVÉE, 375 ML, CIDRE DE GLACE, CANADA (QUÉBEC), CODE SAQ 10977211, 29,60 $
Voici un autre produit de la Cidrerie du Minot qui s'est valu des honneurs depuis sa création. D'une magnifique teinte dorée, on aimera ses arômes bien présents de pomme cuite, de sucre candi et de caramel, qu'on retrouve aussi au palais. Bulles fines et persistantes. Servir frais, à 8 °C.

TIRAMISUS NORDIQUES À LA RHUBARBE

4 PORTIONS

Rhubarbe confite
(à préparer la veille)

800 g (4 ½ tasses) de rhubarbe (environ 10 tiges) pelée et coupée en cubes

100 g (½ tasse) de sucre
+ 300 g (1 ½ tasse)

375 ml (1 ½ tasse) d'eau

8 c. à café de thé du Labrador*

3 c. à soupe de sucre glace

Biscuits

5 œufs, blancs et jaunes séparés,
+ 1 œuf entier

4 c. à soupe de sucre
+ 75 g (⅓ tasse)

125 g (1 tasse) de farine

Crème au fromage

3 œufs, jaunes et blancs séparés

250 g (8 oz) de fromage à la crème

75 g (⅓ tasse) de sucre

Rhubarbe confite

Dans un bol, mettre la rhubarbe et 100 g (½ tasse) de sucre, couvrir et laisser macérer de 8 à 12 heures.

Dans une casserole, à feu moyen-vif, mettre la rhubarbe, 300 g (1 ½ tasse) de sucre et l'eau, et porter à ébullition. Retirer du feu, ajouter le thé du Labrador et laisser infuser pendant 4 heures. À l'aide d'une écumoire, retirer la rhubarbe de la casserole et la déposer dans un bol. Égoutter le sirop dans une passoire placée au-dessus d'un bol et réserver pour le dressage. Jeter les feuilles de thé du Labrador.

Biscuits

Dans un bol, à l'aide d'un batteur électrique, monter les 5 blancs d'œufs en neige avec 50 g (¼ tasse) de sucre jusqu'à l'obtention de pics fermes. Réserver.

Dans un autre bol, toujours à l'aide du batteur électrique, battre les 5 jaunes d'œufs, l'œuf entier et 75 g (⅓ tasse) de sucre à grande vitesse pendant 3 minutes. Avec une maryse, en prenant soin d'alterner deux fois, incorporer la farine et les blancs d'œufs en neige au mélange de jaunes d'œufs en pliant délicatement la masse.

Chauffer le four à 200 °C (400 °F). Verser la préparation dans une poche à pâtisserie ou un sac de plastique pour congélation coupé en pointe à l'une des extrémités pour faire un embout. Sur une plaque de cuisson recouverte de papier sulfurisé, façonner des bâtonnets de 2,5 cm x 10 cm (1 po x 4 po). Saupoudrer de sucre glace à 2 reprises à intervalle de 3 minutes. Cuire pendant 5 minutes ou jusqu'à légère coloration.

Crème au fromage

Dans un bol, à l'aide d'un batteur électrique, battre les jaunes d'œufs pendant 10 minutes. Ajouter le fromage à la crème, bien mélanger et réserver.

Dans un autre bol, monter les blancs d'œufs en neige avec le sucre, jusqu'à l'obtention de pics fermes. Avec une maryse, plier les blancs d'œufs en neige dans le mélange au fromage. Utiliser cette préparation sur-le-champ.

Dressage

Imbiber rapidement les biscuits dans le sirop au thé du Labrador et déposer directement dans des verrines. Ajouter la rhubarbe confite, puis la crème au fromage. Répéter l'opération jusqu'au rebord des verrines, en terminant avec la crème au fromage. Servir aussitôt.

* Voir le tableau de substitutions à la page 25.

À BOIRE !

CHÂTEAU IMPERIAL TOKAJ TOKAJI 2011, VIN DE DESSERT, HONGRIE, CODE SAQ 11793157, 20,40 $
Voilà un vin de dessert gourmand à souhait, qui conviendra bien à la rhubarbe grâce à son acidité, qui lui confère un excellent potentiel de garde. D'une teinte jaune verdâtre, il a une bouche complexe de poire, de raisins secs, de caramel et de champignons. Servir bien frais, à 6 °C

ÉTÉ

Été rime avec fraîcheur, quand les étals des marchés publics se garnissent tour à tour de fraises, de framboises, puis de bleuets, et que les légumes se vendent enfin pour une chanson, ou presque. Au jardin, il faut savoir gérer savamment ses inventaires de concombres, de courgettes et de haricots verts, qui donnent presque trop généreusement, et tous en même temps ! Suivent les tomates et le maïs, qui nous mettent vraiment sur la voie de l'abondance. Quand les recettes de soupe froide au concombre, de gaspacho ou de tomates bocconcini ne suffisent plus pour écouler le trop-plein de ses récoltes, on appelle les amis à la rescousse pour échanger de nouvelles recettes !

En forêt et dans les champs, la nature est tout aussi généreuse. Il suffit d'ouvrir l'œil pour apprendre à reconnaître ce garde-manger facile d'accès, en prenant soin de se munir de bons guides d'initiation. S'il n'est plus recommandé de cueillir les feuilles de pissenlit devenues amères, en revanche, on trouvera facilement du trèfle rouge et de l'orpin pourpre ; dans les champs, les boutons d'asclépiade petit-cochon, délicieux marinés ou en salade, la menthe poivrée, les cœurs de pousses de quenouille (à ne pas récolter près des routes), des fruits comme la groseille, la cerise à grappes, le sureau blanc, la framboise noire et le fruit du mûrier ronce s'offrent à notre convoitise.

Pour Arnaud et Jean-Luc, l'été c'est : l'occasion d'aller dans les champs avec les enfants pour cueillir les premiers petits fruits sauvages et le plaisir de récolter les légumes du jardin.

QUATRE PRODUCTEURS

Laiterie Charlevoix : quand le fromage aide une région à s'épanouir

Au Québec, peu de fromageries peuvent se vanter d'avoir la longévité de la Laiterie Charlevoix, fondée en 1948. Aujourd'hui, les troisième et quatrième générations de la famille Labbé travaillent main dans la main à créer des cheddars de qualité et six fromages fermiers. Plusieurs sont nés du désir d'aider de jeunes fermiers à s'établir dans Charlevoix, tout en remontant un cheptel de vaches dites de races fromagères, comme la Jersey, la Suisse brune et la Canadienne, dont le lait riche en protéines et en gras est idéal pour la transformation. Le maître fromager Dominique Labbé élabore son Hercule (qui évoque un comté) à partir du lait des vaches Jersey de la Ferme Stessi, ce qui a permis à deux jeunes agriculteurs d'acquérir leur propre troupeau et d'assurer leur avenir. Même chose pour l'Origine, qui s'apparente au reblochon, élaboré avec le lait de vaches de race canadienne, que la Laiterie Charlevoix a contribué à relancer d'une part en aidant des fermiers à monter leur troupeau et à améliorer la génétique et, d'autre part, en achetant leur production laitière. Le 1608 est une pâte cuite pressée qui contribue aussi à revitaliser cette race patrimoniale, implantée dès les débuts de la colonie. Pour Dominique Labbé, il s'agit de préserver l'agriculture dans Charlevoix, en créant des débouchés pour la relève grâce à l'élaboration de produits de niche qui permettent aussi de tirer le meilleur du terroir de montagne charlevoisien. Une réussite !

Cassis Monna et filles profession : liquoristes

Les sœurs Anne et Catherine Monna sont tombées toutes petites dans la potion magique que concoctait leur père Bernard sur ses terres de Saint-Pierre de l'île d'Orléans. Issu d'une famille de liquoristes français, cet artiste en arts visuels s'est mis à cultiver le cassis, autrefois appelé gadelle noire, afin d'en tirer confitures et crème de cassis pour une consommation strictement familiale. Mais la délicieuse liqueur n'a pu rester longtemps confidentielle, et Bernard Monna a dû se résoudre à passer à une production artisanale de niveau commercial, rapidement couronnée de succès. Puis ont suivi la création d'autres produits, tels le Madérisé, un digestif qui est aussi un excellent allié en cuisine pour les chefs du bistro Chez Boulay, et le Capiteux et le Fruité, qu'on sert à l'apéro ou sous forme de sangria. Anne et Catherine gèrent

1. La Laiterie Charlevoix travaille avec des éleveurs de vaches Jersey, Suisse brune ou Canadienne, des races qui donnent un lait plus gras et riche en protéines, idéal pour la transformation.

2. Lavage quotidien de la croûte du fromage L'Hercule de Charlevoix, élaboré avec le lait des vaches Jersey de la Ferme Stessi.

3. Autrefois, on appelait le cassis «gadelle noire». Les familles Monna et Noël en cultivent à l'île d'Orléans.

4. Arnaud Marchand et Jean-Luc Boulay discutent avec Bernard Monna et ses filles Anne et Catherine, liquoristes réputés, chez Cassis Monna & Filles.

1.
2.
3.
4.

maintenant l'entreprise avec créativité et professionnalisme, raflant des tas de récompenses dans des concours aussi prestigieux que l'International Wine and Spirits Competition. Le domaine s'étend sur 16 hectares et la maison produit 50 000 bouteilles annuellement, en plus d'autres exquises douceurs à base de cassis : sirop, cassis séché, ketchup, confit d'oignons et nougat. Un bistro, la Monnaguette, et une crèmerie complètent le décor en été.

Élevage des pigeonneaux Turlo : la passion des viandes fines

À la fin de leurs études au cégep de Lévis-Lauzon en gestion agricole, Nicolas Turcotte et Rhéa Loranger ignoraient que le destin ferait d'eux des éleveurs de pigeonneau à chair. Ce produit, prisé des grandes tables européennes, était encore méconnu au Québec ; il faudra la complicité de restaurants comme Toqué !, Laurie-Raphaël, Initiale et Le Saint-Amour, du chef Jean-Luc Boulay, pour que leur élevage prenne son envol. Si Rhéa avoue avoir eu un coup de foudre pour ces oiseaux fidèles — le père s'occupe des petits autant que la mère —, cette production demeure restreinte. Il faut pourtant faire grimper le chiffre d'affaires. Nicolas, qui travaille aussi en production porcine, propose d'acquérir une ferme dans le comté de Bellechasse et de produire un porcelet de grain distinctif pour répondre à la croissance fulgurante de la bistronomie. Encore une fois, les chefs répondent à l'invitation du jeune couple, qui s'emploie à monter une production entièrement intégrée, de la conception des porcelets à leur mise en marché, en passant par l'engraissement (sans facteurs de croissance ni antibiotiques), l'abattage, la découpe, la création de charcuteries fines et la livraison. C'est à ce prix que Nicolas et Rhéa peuvent garantir à 100 % la qualité de leurs viandes, vendues directement aux cuisiniers et aux consommateurs soucieux de qualité.

La Vinaigrerie du Capitaine : un savoir-faire retrouvé

C'est parce qu'il se passionne pour les vertus santé du cassis et son immense potentiel pour la cuisine que Vincent Noël a décidé de porter le chapeau d'artisan vinaigrier, en plus de celui d'agriculteur, lui qui cultive déjà la pomme de terre à Saint-Jean de l'île d'Orléans et qui est le plus gros producteur de cassis dans l'est du Canada. Pour lui, qui appartient à une famille d'agriculteurs et de navigateurs aux racines bien plantées dans l'île, c'est aussi une manière intéressante et audacieuse de faire honneur au patrimoine familial. Dès 2002, Vincent Noël ne ménage pas ses efforts pour apprendre les rouages de ce métier d'artisan en voie d'extinction, faisant des recherches fouillées, puis des stages en Europe auprès de maîtres qui lui apprennent à cultiver l'amer-vinaigre (devenue la mère de vinaigre), cette substance vivante à l'origine des meilleurs vinaigres artisanaux, et qui s'apparente à la levure fraîche du boulanger. Aidé de sa femme, la naturopathe France Gagnon, Vincent met sur pied en 2007 la Vinaigrerie du Capitaine, que l'on peut visiter et où, en plus de produire un extraordinaire vinaigre balsamique de vin de cassis fermenté en fût pendant plusieurs années, on prépare d'autres vinaigres avec les fruits qui poussent sur la propriété : framboise, gadelle rouge ou blanche, pomme, etc. La gamme de condiments de la Vinaigrerie est complétée par des moutardes, gelées, sirops, coulis, tartinades et beurres de fruit.

1 et 2. Rhéa Loranger et Nicolas Turcotte sont éleveurs de pigeonneaux à chair, mais, depuis quelques années, une grande partie de leur production est consacrée à l'élevage écoresponsable et à la transformation de porcelets.

3. La famille Noël dans ses champs de cassis de l'île d'Orléans, en compagnie du chef Arnaud Marchand.

4. Vincent Noël élabore des vinaigres artisanaux qui vieillissent en barrique pendant plusieurs années.

BROUILLADE D'ŒUFS AUX GIROLES, PAIN CAMPAGNARD GRILLÉ AU PESTO À LA FLEUR D'AIL, FROMAGE HERCULE DE CHARLEVOIX

4 PORTIONS

Pesto à la fleur d'ail

2 c. à soupe de graines de tournesol

2 c. à soupe de giroles séchées

1 petite échalote émincée

2 c. à soupe d'huile de canola
+ 125 ml (½ tasse)

4 c. à soupe d'eau

4 c. à soupe de fleur d'ail hachée

40 g (1 tasse) de persil

Sel et poivre, au goût

Brouillade

500 ml (2 tasses) de crème épaisse
35 %

16 œufs battus

2 c. à soupe d'huile de canola

245 g (2 tasses) de giroles nettoyées,
coupées en morceaux

2 c. à soupe de beurre

2 ciboules (oignons verts)
hachées finement

40 g (½ tasse) de fromage Hercule
en copeaux

Dressage

4 tranches de pain campagnard de
2,5 cm (1 po) d'épaisseur chacune

Pesto à la fleur d'ail

Préchauffer le four à 180 °C (350 °F).

Déposer les graines de tournesol sur une plaque de cuisson tapissée de papier sulfurisé et faire griller au four pendant environ 5 minutes. Laisser refroidir.

Dans une poêle, à feu doux, faire revenir les giroles et l'échalote dans 2 c. à soupe d'huile de canola pendant 5 minutes. Augmenter à feu vif, déglacer avec l'eau et laisser réduire à sec. Laisser refroidir.

Verser le mélange de giroles refroidi dans le bol du robot culinaire, ajouter les graines de tournesol, la fleur d'ail, le persil et 125 ml (½ tasse) d'huile de canola. Saler, poivrer et mélanger jusqu'à l'obtention d'une pâte grossière, en ajoutant un peu d'eau, au besoin. Réserver.

Brouillade

Dans une casserole, à feu moyen, verser la crème et faire réduire de moitié en évitant qu'elle déborde ou brûle. Ajouter les œufs battus, en fouettant. Baisser le feu au minimum et cuire les œufs, en fouettant constamment, de 5 à 8 minutes, jusqu'à l'obtention d'une belle brouillade crémeuse, pas trop cuite.

Entre-temps, dans une poêle chauffée à vif, verser l'huile et faire sauter les giroles pendant 1 minute. Ajouter le beurre, sauter les giroles encore 1 minute, puis les retirer de la poêle et réserver. Saler et poivrer en fin de cuisson seulement pour éviter que les champignons rendent de l'eau de végétation.

Ajouter les giroles sautées et les ciboules à la brouillade.

Dressage

Préchauffer le four à 180 °C (350 °F).

Juste avant de servir la brouillade, tartiner chaque tranche de pain de pesto à la fleur d'ail. Faire griller au four quelques minutes, jusqu'à ce que le pesto soit saisi et le pain croustillant.

Garnir la brouillade de copeaux de fromage et servir avec le pain campagnard grillé au pesto à la fleur d'ail.

STEAK AND EGG, MAYONNAISE À L'ESTRAGON, POUTINE GOURMANDE AU BACON DE SANGLIER

4 PORTIONS

Mayonnaise à l'estragon

4 c. à soupe de vinaigre de vin blanc

4 c. à soupe de vin blanc

3 échalotes hachées finement

4 branches d'estragon hachées

1 c. à soupe de poivre noir concassé finement

4 c. à soupe de mayonnaise (maison, de préférence)

Sel et poivre, au goût

Poutine gourmande au bacon de sanglier

3 c. à soupe d'huile de canola
+ 2 c. à soupe

200 g (2 tasses) d'oignon blanc émincé

4 tranches de bacon de sanglier,
ou de porc, coupées en morceaux

125 ml (½ tasse) de vin rouge

500 ml (2 tasses) de fond de veau

530 g (3 tasses) de pommes
de terre grelots coupées en deux

2 branches de thym

3 gousses d'ail, avec la pelure, écrasées

6 tiges de ciboulette ciselées

165 g (1 tasse) de fromage en grains du Québec

Steak and egg

4 macreuses de bœuf d'environ 180 g (6 oz) chacune

2 c. à soupe d'huile de canola

2 c. à soupe de beurre

4 gousses d'ail entières, avec la pelure

4 branches de thym

Dressage

4 œufs au plat

Verdures du jardin, au goût

Mayonnaise à l'estragon

Dans une casserole, à feu moyen, verser le vinaigre de vin et le vin blanc, ajouter les échalotes, l'estragon et le poivre. Porter à ébullition et laisser réduire à sec. Refroidir.

Mélanger la réduction de béarnaise avec la mayonnaise, saler et poivrer au besoin. Réserver.

Poutine gourmande au bacon de sanglier

Préchauffer le four à 210 °C (425 °F).

Dans une casserole, à feu moyen, chauffer 3 c. à soupe d'huile de canola. Ajouter l'oignon et cuire environ 10 minutes ou jusqu'à ce qu'il soit caramélisé. Ajouter le bacon et poursuivre la cuisson jusqu'à ce que le bacon soit bien cuit. Déglacer avec le vin rouge et laisser réduire de moitié. Ajouter le fond de veau et cuire jusqu'à consistance sirupeuse. Réserver au chaud.

Dans un bol, mélanger les pommes de terre avec 2 c. à soupe d'huile de canola, le thym, l'ail et la ciboulette. Saler et poivrer, déposer sur une plaque de cuisson tapissée de papier sulfurisé et rôtir au four pendant 8 minutes ou jusqu'à ce que les pommes de terre soient tendres, mais qu'elles se tiennent encore. Réserver.

Steak and egg

Saler et poivrer la viande. Dans une poêle, à feu vif, chauffer l'huile. Ajouter le beurre et faire mousser. Déposer la viande dans la poêle, puis ajouter l'ail et le thym. Saisir la viande de 2 à 3 minutes de chaque côté, jusqu'à ce qu'elle soit bien colorée. Retirer du feu, couvrir de papier d'aluminium et laisser reposer 5 minutes.

Dressage

Au moment de servir, disposer les macreuses dans les assiettes et déposer un œuf au plat sur chacune. Garnir d'un peu de laitue du jardin. Déposer les pommes de terre dans 4 petits bols, ajouter le fromage en grains, puis la sauce aux oignons caramélisés et au bacon de sanglier. Servir avec la mayonnaise à l'estragon.

CAPPUCCINO DE MAÏS, CRÈME MONTÉE AU POPCORN ET AU PIMENT D'ARGILE, PICKLES DE MAÏS

4 PORTIONS

Cappuccino de maïs

3 c. à soupe d'huile de canola

1 petit oignon coupé en dés

1 branche de céleri coupée en dés

1 gousse d'ail hachée

750 ml (3 tasses) de bouillon de légumes

3 épis de maïs, les grains grattés à cru

125 ml (½ tasse) de crème épaisse 35 %

Pickles de maïs

1 épi de maïs, les grains grattés à cru

4 c. à soupe de vinaigre de cidre

4 c. à soupe d'eau

2 c. à soupe de miel

1 feuille de sauge

Sel

Crème montée au popcorn et au piment d'argile

125 ml (½ tasse) de crème épaisse 35 %

125 ml (½ tasse) de popcorn

2 c. à café de piment d'argile*

4 tiges de ciboulette ciselées

Sel et poivre, au goût

Dressage

2 tranches de pain brioché rôties, coupées en bâtonnets

Cappuccino de maïs

Dans une casserole, à feu moyen, faire chauffer l'huile. Ajouter l'oignon et le céleri et faire suer pendant 10 minutes. Ajouter l'ail et le bouillon de légumes et porter à ébullition. Réduire le feu et laisser mijoter 5 minutes.

Ajouter le maïs et la crème et poursuivre la cuisson 10 minutes. Passer au mélangeur jusqu'à l'obtention d'une texture bien lisse. Réserver au chaud.

Pickles de maïs

Porter à ébullition une casserole remplie d'eau salée. Blanchir les grains de maïs pendant 45 secondes. Refroidir immédiatement dans de l'eau glacée, égoutter et réserver dans un bol.

Dans une autre casserole, porter à ébullition le vinaigre de cidre, l'eau, le miel et la sauge. Verser sur les grains de maïs blanchis, couvrir et réfrigérer au moins 2 heures.

Crème montée au popcorn et au piment d'argile

Dans un cul-de-poule, fouetter la crème jusqu'à l'obtention de pics mous. Ajouter le popcorn, le piment d'argile et la ciboulette, puis saler et poivrer. Réserver.

Dressage

Verser la crème de maïs chaude dans des verres ou des tasses, garnir de crème montée au popcorn et au piment d'argile et terminer avec quelques pickles de maïs. Servir avec les bâtonnets de pain brioché rôti.

* Voir le tableau de substitutions à la page 25.

À BOIRE !

LIBERTY SCHOOL CHARDONNAY CENTRAL COAST, VIN BLANC, CALIFORNIE, CODE SAQ 00719443, 20,80 $

Ce chardonnay généreux est l'accord tout naturel pour cette entrée, avec ses effluves bien présents de maïs et de beurre frais. Rond en bouche, il a une texture crémeuse, avec des notes de bois qui répondront bien à celles du popcorn de la garniture. Ce qui ne l'empêche pas d'offrir aussi une vivifiante acidité !

CARPACCIO DE CONCOMBRES DES CHAMPS, CENDRÉ DES PRÉS, GRAINES DE MOUTARDE SAUVAGE, VINAIGRETTE À LA CAMERISE ET CERFEUIL MUSQUÉ

4 PORTIONS

Fromage

300 g (1 brique) de Cendré des Prés (ou autre fromage cendré)

Vinaigrette

72 g (½ tasse) de camerises*

½ branche de céleri coupée en brunoise

½ oignon blanc coupé en brunoise

4 tiges de ciboulette

4 c. à soupe de vinaigre de cidre

125 ml (½ tasse) d'huile de canola

Sel et poivre, au goût

Carpaccio de concombres des champs

2 c. à soupe d'huile de canola

8 tranches de pain légèrement rassis, coupées en dés (environ)

2 concombres des champs moyens, pelés

Fleur de sel, au goût

4 c. à soupe de cerfeuil musqué (ou standard)

1 c. à soupe de graines de moutarde sauvage (ou standard)

Fromage

Couper le fromage en 12 tranches et réserver au froid. Sortir du réfrigérateur 5 minutes avant de servir.

Vinaigrette

Dans un bol, bien mélanger tous les ingrédients, dans l'ordre. Réserver.

Carpaccio de concombres des champs

Dans une poêle, à feu moyen, chauffer l'huile et faire griller les dés de pain. Réserver.

À l'aide d'une mandoline, tailler de fines tranches de concombre sur la longueur et les disposer directement dans les assiettes. Arroser de vinaigrette, puis saupoudrer de fleur de sel. Ajouter 3 tranches de Cendré des Prés par portion, compléter avec quelques feuilles de cerfeuil musqué, les graines de moutarde sauvage et les croûtons.

* Voir le tableau de substitutions à la page 25.

À BOIRE !

LES PETITS CAILLOUX, VIN ROSÉ, CANADA (QUÉBEC), CODE SAQ 12561948, 17,35 $
Ce vin, élaboré en Montérégie à partir des cépages hybrides frontenac, maréchal foch et sainte-croix, a une très appétissante couleur rose foncé tirant sur le rouge. Sec, il a des notes de fougère et de fruits des champs (fraise, framboise et cassis) et une bonne acidité. C'est un excellent vin de table, abordable et parfait à l'heure de l'apéro, voire avec de la volaille ou du saumon. Boire bien frais, autour de 8 °C.

SAISIE D'ESTURGEON AU CHOU-RAVE MARINÉ, ÉMULSION À L'HUILE DE CHANVRE

4 PORTIONS

Chou-rave mariné

1 chou-rave pelé

2 c. à soupe de persil de mer*
haché finement

4 tiges de ciboulette ciselées

1 ciboule (oignon vert)
hachée finement

1 échalote hachée finement

2 c. à soupe de vinaigre de cidre

2 c. à soupe d'huile de canola
biologique

2 c. à soupe d'huile de chanvre

Sel et poivre, au goût

Émulsion à l'huile de chanvre

1 chou-rave pelé

2 c. à soupe de beurre

2 c. à soupe d'huile de chanvre

Saisie d'esturgeon

400 g (14 oz) d'esturgeon

2 c. à soupe d'huile de canola

2 c. à soupe de persil de mer*
haché finement

1 c. à soupe de graines de chanvre

1 c. à soupe de moutarde de Dijon

4 c. à soupe de jeunes pousses
de chou (ou autres pousses)

Chou-rave mariné

À l'aide d'une mandoline, couper le chou-rave en tranches de 3 mm (⅛ po) d'épaisseur et les déposer dans un bol. Dans un autre bol, mélanger le persil de mer, la ciboulette, la ciboule, l'échalote, le vinaigre et les deux huiles. Saler et poivrer. Verser sur les tranches de chou-rave et mélanger afin que toutes les tranches soient bien imbibées. Laisser mariner au moins 30 minutes, puis dresser sur des assiettes, comme un carpaccio.

Émulsion à l'huile de chanvre

Couper le chou-rave en gros morceaux et les déposer dans une casserole. Couvrir d'eau froide, saler et porter à ébullition à feu vif. Réduire le feu et laisser mijoter environ 10 minutes ou jusqu'à ce que le chou-rave soit bien fondant. Égoutter et déposer dans un bol résistant à la chaleur. À l'aide d'un mélangeur à main, réduire en purée en incorporant d'abord le beurre, puis l'huile de chanvre en filet, jusqu'à ce que l'émulsion soit bien lisse. Saler, poivrer et réserver au froid.

Saisie d'esturgeon

Tailler l'esturgeon en pavés rectangulaires pour obtenir des morceaux épais, que l'on peut saisir facilement sur les 4 faces. Saler et poivrer. Chauffer une poêle antiadhésive à feu moyen-vif. Verser l'huile dans la poêle et chauffer sans brûler. Déposer les pavés d'esturgeon et les saisir de 10 à 15 secondes sur chaque face, pour les colorer rapidement tout en les laissant crus à cœur. Refroidir rapidement.

Mélanger le persil de mer et les graines de chanvre. À l'aide d'un pinceau, badigeonner les pavés d'esturgeon de moutarde et les rouler dans le mélange de persil de mer et de graines de chanvre.

Dressage

Tailler de fines tranches d'esturgeon. Servir avec le carpaccio de chou-rave et l'émulsion à l'huile de chanvre.

* Voir le tableau de substitutions à la page 25.

À BOIRE !

TAWSE CHARDONNAY 2013, CANADA (NIAGARA), CODE SAQ 11039736, 23,50 $
Nommé quatre fois meilleur vignoble canadien par le National Wine Awards of Canada depuis 2010, ce domaine familial créé en 2005 par Morey Tawse se spécialise dans les crus agrobiologiques d'inspiration bourguignonne (pinot noir et chardonnay). Avec sa rondeur et sa fraîcheur, ce vin a une belle couleur jaune paille tirant sur le vert, des effluves de fleurs blanches, de pomme verte, de papaye et de cantaloup, et il est légèrement gras en bouche, mais vivifiant. Servir autour de 8 °C.

TARTARE DE CERF AU MAÏS GRILLÉ, POMMES DE TERRE FARCIES AUX HERBES ET AU HARENG FUMÉ

4 PORTIONS

Pommes de terre farcies

4 pommes de terre moyennes

1 c. à soupe d'échalote hachée finement

2 ciboules (oignons verts) hachées finement

1 c. à soupe de persil haché

1 c. à soupe d'oseille sauvage* hachée finement

1 c. à soupe de hareng fumé haché finement

4 c. à soupe de crème sure

Sel et poivre, au goût

Sauce tartare

3 c. à soupe de moutarde de Dijon

2 c. à soupe de boutons de marguerite*

1 tige de persil hachée

½ c. à café d'ail haché

3 jaunes d'œufs

3 c. à soupe d'échalote hachée finement

4 tiges de ciboulette ciselées finement

1 c. à soupe de piment d'argile*

3 c. à soupe de vinaigre de cidre

4 c. à soupe d'huile de canola

3 c. à soupe d'huile de colza grillée (ou de canola)

Tartare de cerf

360 g (12 oz) de viande de cerf pour tartare

1 épi de maïs

1 c. à soupe d'huile de canola

2 c. à soupe de roquette finement ciselée

Dressage

4 épis de maïs grillés, coupés en tronçons ou égrenés

Languettes de pain grillé

Pommes de terre farcies

Préchauffer le four à 180 °C (350 °F).

Bien laver les pommes de terre, les assécher et les déposer sur une plaque de cuisson. Cuire au four de 45 minutes à 1 heure ou jusqu'à ce qu'elles soient bien tendres. Laisser refroidir légèrement. Couper en deux, sur la longueur, et évider la chair, en laissant 1 cm (½ po) autour de la pelure. Mettre la chair dans un bol. Ajouter l'échalote, la ciboule, le persil, l'oseille, le hareng fumé et la crème sure, et bien mélanger. Saler, poivrer et farcir du mélange les moitiés de pommes de terre évidées.

Sauce tartare

Mettre tous les ingrédients, sauf les huiles, dans un bol. Saler et poivrer. Fouetter pour bien mélanger. Ajouter les huiles en filet, en fouettant, pour émulsionner. Réserver.

Tartare de cerf

Préchauffer le four à 190 °C (375 °F).

Tailler le cerf en petits cubes et réserver au froid.

Peler l'épi de maïs et, à l'aide d'un couteau, détacher les grains. Les déposer dans un bol avec l'huile de canola, puis saler et poivrer. Déposer sur une plaque de cuisson tapissée de papier sulfurisé et rôtir au four de 6 à 8 minutes. Refroidir.

Dressage

Réchauffer les pommes de terre au four quelques minutes pour les servir tièdes. Au moment de servir, mélanger le cerf, le maïs grillé, la roquette et de 4 à 6 c. à soupe de sauce tartare, au goût. Rectifier l'assaisonnement au besoin. Dresser le tartare à l'emporte-pièce, servir avec les pommes de terre farcies, le maïs grillé et les languettes de pain grillé.

* Voir le tableau de substitutions à la page 25.

TARTE À LA TOMATE DE MA MAMAN (CHEF ARNAUD), LAITUES BOSTON GRILLÉES ET POIREAUX À LA VINAIGRETTE AU BACON

4 PORTIONS

Tarte à la tomate

400 g (14 oz) de pâte brisée

125 ml (½ tasse) de moutarde de Dijon

8 tomates cœur de bœuf

1 c. à soupe d'ail haché

2 branches de thym effeuillées et ciselées

Sel et poivre, au goût

Poireaux à la vinaigrette au bacon

4 poireaux moyens

1 c. à soupe de vinaigre de cidre

1 échalote hachée finement

4 tranches de bacon cuites et émiettées

4 tiges de ciboulette coupées en morceaux de 2,5 cm (1 po)

2 c. à soupe d'huile de canola

Laitues Boston grillées

2 laitues Boston coupées en deux sur la longueur

1 c. à soupe d'huile de canola

Tarte à la tomate

Préchauffer le four à 180 °C (350 °F).

Abaisser la pâte à environ 4 mm (¼ po) d'épaisseur, de manière à recouvrir une assiette à tarte de 23 cm (9 po). Chemiser l'assiette et laisser reposer au réfrigérateur pendant 10 minutes. Recouvrir le fond de tarte de papier sulfurisé et de haricots secs. Précuire au four pendant 20 minutes. Retirer les haricots et le papier sulfurisé, et laisser refroidir.

Badigeonner le fond de tarte avec la moutarde. Couper les tomates en tranches de 1 cm (½ po) d'épaisseur. Disposer les tranches de tomate en rosace en les faisant se chevaucher au besoin, de façon à couvrir parfaitement le fond de tarte. Parsemer d'ail et de thym. Cuire au four pendant 45 minutes. Retirer du four et réserver.

Poireaux à la vinaigrette au bacon

Couper les poireaux en tronçons de 5 cm (2 po). Dans une casserole remplie d'eau bouillante salée, cuire les poireaux de 3 à 5 minutes, jusqu'à tendreté. Refroidir dans de l'eau glacée et égoutter.

Dans un bol, mélanger le vinaigre de cidre, l'échalote, le bacon émietté et la ciboulette, et émulsionner avec l'huile de canola. Saler et poivrer. Mélanger les poireaux avec la moitié de la vinaigrette et laisser mariner au moins 1 heure. Réserver.

Laitues Boston grillées

Chauffer le barbecue à intensité moyenne. Badigeonner les moitiés de laitue d'huile, saler, poivrer et déposer sur la grille du barbecue, côté coupé dessous. Cuire 30 secondes.

Dressage

Dresser une moitié de laitue dans chaque assiette, arroser de vinaigrette puis déposer une pointe de tarte à la tomate tiède dessus. Ajouter quelques tronçons de poireaux à la vinaigrette et servir.

À BOIRE !

MUGA RESERVA, VIN ROUGE, ESPAGNE, CODE SAQ 00855007, 24 $
Produit à Haro, dans la Rioja Alta, près du Pays basque, ce vin saura accompagner agréablement cette tarte à la tomate. D'abord parce que son origine (montagnes du nord-ouest de l'Espagne) et sa composition (surtout le tempranillo et le grenache) annoncent un cru aromatique, doté d'une rondeur séduisante et d'une bonne acidité, qui conviendra bien aux tomates. Ensuite, parce que son élaboration (élevage de deux ans en fût de chêne, vieillissement d'au moins 12 mois en cave, en bouteille) lui confère des notes de bois, de chocolat et de prune, parfaites pour le bacon et le fondant des poireaux. Servir autour de 18 °C.

CRÈME FROIDE DE PETITS POIS À LA MENTHE INDIGÈNE, SALADE D'ÉCREVISSES DU LAC SAINT-PIERRE

4 PORTIONS

Crème de petits pois

2 c. à soupe d'huile de canola

2 c. à soupe de beurre

50 g (½ tasse) d'oignon blanc haché

45 g (½ tasse) de poireau émincé

1 litre (4 tasses) de bouillon de légumes

70 g (½ tasse) de pomme de terre pelée et coupée en dés

400 g (4 tasses) de petits pois frais (ou surgelés)

1 c. à soupe de menthe indigène* (sauvage)

125 ml (½ tasse) de crème à fouetter 35 %

Sel et poivre, au goût

Salade d'écrevisses

2 c. à soupe de beurre

16 écrevisses décortiquées et nettoyées (ou crevettes)

50 g (½ tasse) de petits pois frais (ou surgelés), blanchis

2 c. à soupe d'esturgeon fumé coupé en brunoise

1 c. à soupe de vinaigre de cidre

1 c. à café de menthe indigène* hachée finement

Crème de petits pois

Dans une casserole, à feu doux, chauffer l'huile et le beurre. Ajouter l'oignon et le poireau, saler et faire suer pendant 10 minutes. Ajouter le bouillon et la pomme de terre, et augmenter le feu à moyen-vif. Porter à ébullition, réduire le feu et laisser mijoter de 15 à 20 minutes, jusqu'à ce que les dés de pomme de terre soient tendres. Ajouter les petits pois et la menthe et cuire 5 minutes.

Au mélangeur à main, mixer le potage, puis filtrer au tamis et réfrigérer.

Salade d'écrevisses

Dans une poêle, à feu moyen, faire mousser le beurre. Ajouter les écrevisses et faire sauter de 1 à 2 minutes, juste le temps qu'elles changent de couleur. Refroidir légèrement et déposer dans un bol. Ajouter les petits pois, l'esturgeon fumé, le vinaigre de cidre et la menthe. Saler et poivrer.

Dressage

À l'aide d'un fouet, incorporer la crème 35 % très froide dans la crème de petits pois et bien mélanger. Verser dans des bols et répartir la salade d'écrevisses en garniture. Servir.

* Voir le tableau de substitutions à la page 25.

À BOIRE !

LE LOUP BLANC, LE RÉGAL, 2014, VIN BLANC, FRANCE, CODE SAQ 12661498, 25,90 $
Le vignoble Le Loup Blanc a une résonance particulière pour les Québécois, puisqu'il appartient à deux restaurateurs montréalais, Alain Rochard et Laurent Farre, qui, après avoir dirigé le bistro Le Continental, possèdent maintenant le sympathique bar à vin Le Rouge-gorge. Avec deux copains, ils sont aussi très impliqués dans leur vignoble de 18 hectares, surtout Alain Rochard, qui élabore les belles cuvées du Loup Blanc selon les règles de la biodynamie. On y valorise aussi des cépages oubliés ou moins connus, comme le terret, qui constitue la trame de ce vin blanc pensé pour l'apéro ou les fruits de mer. Ses notes anisées en font un mariage parfait avec cette crème de petits pois.

SALADE DE HARICOTS, LAITUES ROMAINES GRILLÉES, FONDUES AU RIOPELLE ET VINAIGRETTE AU MADÉRISÉ DE CASSIS

4 PORTIONS

Vinaigrette au Madérisé de cassis

2 c. à soupe d'huile de canola
+ 4 c. à soupe

2 échalotes hachées finement

4 c. à soupe de vinaigre de vin rouge

4 c. à soupe de Madérisé de cassis
(voir ▶)

1 gousse d'ail hachée finement

Sel et poivre, au goût

Laitues romaines grillées

2 cœurs de laitue romaine coupés
en deux sur la longueur

1 c. à soupe d'huile de canola

Salade de haricots jaunes et verts

500 g (1 lb) de haricots jaunes parés

500 g (1 lb) de haricots verts parés

2 ciboules (oignons verts)
hachées finement

4 c. à soupe de cassis, pour garnir
(facultatif)

Fondues au Riopelle

400 g (14 oz) de fromage Riopelle

2 c. à soupe de farine

2 œufs battus

60 g (½ tasse) de chapelure

Vinaigrette au madérisé de cassis

Dans une casserole, à feu moyen, chauffer 2 c. à soupe d'huile de canola. Ajouter les échalotes et les faire sauter de 10 à 15 minutes ou jusqu'à ce qu'elles soient bien caramélisées. Ajouter le vinaigre et le Madérisé de cassis et faire réduire à sec. Verser dans un bol, refroidir, puis ajouter l'ail et 60 ml (¼ tasse) d'huile de canola. Saler et poivrer.

Laitues romaines grillées

Préchauffer le barbecue à intensité moyenne (180 °C/350 °F).

Badigeonner les moitiés de laitue d'huile. Saler, poivrer et déposer sur la grille du barbecue. Griller 1 minute de chaque côté, juste assez pour marquer la laitue, mais en s'assurant qu'elle reste bien croquante. Réserver.

Salade de haricots jaunes et verts

Porter une casserole d'eau salée à ébullition à feu vif. Plonger les haricots dans l'eau et cuire de 8 à 12 minutes, jusqu'à ce qu'ils soient cuits, mais encore légèrement al dente. Plonger immédiatement dans de l'eau glacée, puis égoutter. Dans un bol, mélanger les haricots, la ciboule et 3 c. à soupe de la vinaigrette au Madérisé de cassis. Saler et poivrer. Réserver.

Fondues au Riopelle

Préchauffer l'huile de la friteuse à 180 °C (350 °F).

Couper le fromage en 8 morceaux de même grosseur. Dans 3 petits bols, verser la farine, les œufs battus et la chapelure. Paner à l'anglaise en roulant les morceaux de fromage dans la farine, puis en les trempant dans les œufs et ensuite dans la chapelure. Répéter cette opération, en omettant la farine. Frire de 2 à 3 minutes ou jusqu'à ce que les fondues soient bien dorées. Réserver sur des essuie-tout.

Dressage

Disposer une demi-laitue romaine grillée dans les assiettes, ajouter la salade de haricots et le cassis, si désiré. Répartir les fondues au fromage et terminer avec la vinaigrette restante en filet.

▶ Inspirée des vins de Madère, cette boisson, qui se sert fraîche en apéritif ou en digestif, se trouve dans les succursales de la SAQ.

BROCHETTES DE PÉTONCLES AU MIEL ET AU CARVI SAUVAGE, SALADE DE RIZ SAUVAGE, DE POIS MANGE-TOUT ET DE MAGRET DE CANARD FUMÉ

4 PORTIONS

Marinade

4 c. à soupe de vinaigre de miel (ou de cidre)

1 c. à soupe de miel

1 c. à soupe de moutarde en grains

1 c. à soupe de moutarde de Dijon

1 c. à soupe de carvi sauvage moulu (ou de carvi ordinaire)*

125 ml (½ tasse) d'huile de canola

Sel et poivre, au goût

Brochettes de pétoncles

12 pétoncles de grosseur U10

8 petits oignons nouveaux blanchis 3 minutes

8 brochettes en aluminium (de préférence)

Salade de riz sauvage

200 g (2 tasses) de pois mange-tout parés

150 g (5 oz) de poitrine de canard fumée coupée en dés

1 échalote émincée

275 g (2 tasses) de riz sauvage cuit

Marinade

Dans un bol, à l'aide d'un fouet, fouetter le vinaigre, le miel, les deux moutardes, le carvi sauvage, le sel et le poivre. Ajouter l'huile de canola en fouettant, pour bien émulsionner.

Brochettes de pétoncles

Préchauffer le barbecue à intensité moyenne (180 °C/350 °F).

Embrocher 3 pétoncles et 2 moitiés d'oignons nouveaux par brochette, en alternant. Une fois les 8 brochettes prêtes, déposer dans un plat, verser la moitié de la marinade dessus et laisser mariner au moins 30 minutes au réfrigérateur.

Retirer les brochettes de la marinade et déposer sur la grille du barbecue préchauffé. Griller de 1 à 2 minutes par côté, de manière à obtenir de belles marques de gril, mais sans trop cuire les pétoncles. Pendant la cuisson, badigeonner avec le surplus de la marinade utilisée pour mariner les pétoncles. Servir immédiatement.

Salade de riz sauvage, de pois mange-tout et de magret de canard fumé

Remplir une casserole à moitié d'eau salée et porter à ébullition à feu vif. Blanchir les pois mange-tout 1 minute. Égoutter et plonger immédiatement dans un bol d'eau glacée pour préserver leur couleur et leur croquant. Retirer de l'eau et bien égoutter.

Dans un bol, mélanger les pois mange-tout, les dés de canard fumé, l'échalote, la deuxième moitié de la marinade et le riz sauvage. Saler et poivrer. Laisser mariner 15 minutes et servir avec les brochettes de pétoncles.

* Voir le tableau de substitutions à la page 25.

À BOIRE !

PASCAL JOLIVET ATTITUDE SAUVIGNON BLANC, VIN DE PAYS DU VAL DE LOIRE, CODE SAQ 11463828, 18,20 $
Pascal Jolivet est un vigneron inspiré et perfectionniste du nord de la France. Son sauvignon blanc fera votre bonheur avec ces brochettes de pétoncles sur le gril, accompagnées de leur salade de riz sauvage, de pois mange-tout et de magret de canard fumé. Vif et droit, avec des notes d'herbes fraîches, d'agrumes et de pomme verte, c'est un vrai vin festif d'été, qui saura faire de ces brochettes un régal gastronomique !

DORÉ DE LAC, COUSCOUS DE CHOU-FLEUR À L'HUILE DE CAMÉLINE ET AUX CŒURS DE QUENOUILLE, RADIS POÊLÉS AU BEURRE

4 PORTIONS

Sauce vierge

2 petites échalotes émincées finement

100 g (½ tasse) de cœurs de quenouille coupés en petits morceaux

2 ciboules (échalotes vertes) ciselées

5 c. à soupe de vinaigre de cidre

4 c. à soupe d'huile de canola

4 c. à soupe d'huile de caméline

Sel et poivre, au goût

Couscous

1 chou-fleur moyen défait en petits bouquets

4 radis rouges coupés en fines tranches

Radis poêlés au beurre

1 c. à soupe de beurre

380 g (2 tasses) de radis coupés en quartiers

Doré

4 pavés de doré de lac de 170 g (6 oz) chacun

2 c. à soupe d'huile de canola

2 c. à soupe de beurre

2 gousses d'ail écrasées, avec la pelure

2 branches de thym effeuillées et hachées finement

Sauce vierge

Dans un bol, mélanger tous les ingrédients, saler et poivrer. Réserver.

Couscous de chou-fleur

Au robot culinaire ou à l'aide d'un couteau, hacher les bouquets de chou-fleur jusqu'à ce qu'ils ressemblent à des grains de couscous. Dans un bol, mélanger le couscous de chou-fleur, les tranches de radis et la moitié de la sauce vierge. Saler et poivrer. Réserver.

Radis poêlés au beurre

Dans une poêle, à feu moyen, faire mousser le beurre. Cuire les radis de 5 à 8 minutes. Saler et poivrer. Réserver au chaud.

Doré

Saler et poivrer le poisson. Dans une poêle, à feu vif, chauffer l'huile. Ajouter le beurre, faire mousser, puis déposer le poisson dans la poêle, côté peau, avec l'ail et le thym. Saisir le poisson de 3 à 4 minutes de chaque côté, jusqu'à l'obtention d'une belle coloration. Retirer du feu et couvrir de papier d'aluminium. Laisser reposer pendant 5 minutes. Arroser le poisson de sauce vierge et servir avec le couscous de chou-fleur et les radis poêlés au beurre.

LOTTE AU BACON ET À L'AVOINE, SEMOULE D'AVOINE, COURGETTES GRILLÉES ET YOGOURT À LA MÉLISSE

4 PORTIONS

Semoule d'avoine

200 g (1 tasse) de grains d'avoine

750 ml (3 tasses) d'eau

1 c. à soupe de vinaigre de cidre

1 c. à soupe d'huile de canola

2 c. à soupe de mélisse* hachée

1 ciboule (oignon vert) hachée finement

Sel et poivre, au goût

Courgettes grillées

4 petites courgettes coupées en deux sur la longueur

1 c. à soupe d'huile de canola

Yogourt à la mélisse

125 ml (½ tasse) de yogourt nature

1 échalote émincée finement

2 c. à soupe de vinaigre de cidre

1 c. à soupe de mélisse* hachée

Lotte au bacon

4 c. à soupe de gros flocons d'avoine

4 pavés de lotte de 170 g (6 oz) chacun

6 c. à soupe de bacon cuit et émietté

2 blancs d'œufs légèrement battus

Semoule d'avoine

Dans une casserole, mélanger les grains d'avoine et l'eau. Porter à ébullition, à découvert, à feu moyen-vif, puis baisser le feu, couvrir et laisser frémir de 45 minutes à 1 heure ou jusqu'à ce que tout le liquide soit absorbé et que les grains soient cuits. Laisser refroidir.

Au robot culinaire, concasser les grains d'avoine pour en faire une semoule grossière. Dans un bol, mélanger la semoule d'avoine, le vinaigre, l'huile, la mélisse et la ciboule, saler et poivrer. Au moment de servir, réchauffer légèrement.

Courgettes grillées

Préchauffer le barbecue à intensité moyenne. Badigeonner les courgettes avec l'huile de canola, saler, poivrer et déposer sur la grille du barbecue. Griller 1 minute de chaque côté. Réserver.

Yogourt à la mélisse

Dans un bol, mélanger tous les ingrédients. Réfrigérer.

Lotte au bacon

Préchauffer le four à 160 °C (325 °F).

Saler et poivrer le poisson. Dans un bol, mélanger les flocons d'avoine, le bacon et les blancs d'œufs. Répartir la préparation également sur chaque pavé de lotte. Déposer sur une plaque de cuisson tapissée de papier sulfurisé et cuire pendant 15 minutes ou jusqu'à ce que le poisson soit opaque et l'avoine croustillante.

Dressage

Réchauffer légèrement la semoule d'avoine. Servir la lotte avec la semoule d'avoine, les courgettes grillées et le yogourt à la mélisse.

* Voir le tableau de substitutions à la page 25.

PAVÉS DE MORUE RÔTIS, CONCASSÉ DE TOMATES AUX ALGUES ET À LA SALICORNE, POMMES DE TERRE CONFITES AU GRAS DE CANARD

4 PORTIONS

Pommes de terre confites

750 ml (3 tasses) de gras de canard

900 g (4 tasses) de pommes de terre rattes

Concassé de tomates

800 g (2 tasses) de tomates coupées en dés

4 c. à soupe d'algues fraîches*, hachées

2 c. à soupe de salicorne* hachée grossièrement

2 c. à soupe de ciboulette hachée finement

Sel et poivre, au goût

Tartinade d'algues

4 c. à soupe de graines de citrouille écalées

4 c. à soupe de poudre d'algues séchées*

1 c. à soupe d'eau

1 gousse d'ail

4 c. à soupe d'huile de canola

Pavés de morue

4 pavés de morue de 170 g (6 oz)

Pommes de terre confites

Dans une casserole, à feu moyen-doux, chauffer le gras de canard jusqu'à ce qu'il soit fondu. Ajouter les pommes de terre et laisser frémir à feu moyen pendant 25 minutes ou jusqu'à ce que les pommes de terre soient bien tendres.

Concassé de tomates

Mettre tous les ingrédients dans un bol et bien mélanger. Réserver.

Tartinade d'algues

Préchauffer le four à 180 °C (350 °F).

Déposer les graines de citrouille sur une plaque de cuisson tapissée de papier sulfurisé et les faire rôtir au four pendant 5 minutes. Refroidir.

Au robot culinaire, mixer les graines de citrouille, les algues, l'eau, l'ail et l'huile de canola jusqu'à l'obtention d'une pâte légèrement texturée. Saler et poivrer. Réserver.

Pavés de morue

Préchauffer le four à 180 °C (350 °F).

Verser le concassé de tomates dans un plat allant au four. Saler et poivrer les pavés de morue, garnir chacun de 1 c. à soupe de tartinade d'algues et déposer sur le concassé de tomates. Cuire au four pendant 15 minutes ou jusqu'à ce que le poisson soit cuit à point. Servir accompagné des pommes de terre confites bien chaudes.

* Voir le tableau de substitutions à la page 25.

L'ORPAILLEUR ROUGE, VIN ROUGE, CANADA (QUÉBEC), CODE SAQ 00743559, 15,95 $

Charles-Henri de Coussergues est l'un des pionniers de la viticulture au Québec et son domaine est l'un des plus importants et des mieux connus. Il a longtemps cru qu'il n'arriverait pas à produire sous nos latitudes des rouges répondant à ses hauts critères de qualité, mais il s'est ravisé récemment et nous propose cette cuvée délicieuse, dotée d'une bonne charpente. Elle est élaborée à 100 % de frontenac, un cépage qui donne couleur, acidité et beaucoup de fruit, surtout la cerise et la mûre. Boire bien frais, autour de 15 °C.

JAMBONNETTE DE VOLAILLE, ÉCRASÉ DE POMMES DE TERRE ET POÊLÉE DE CHAMPIGNONS CRABES

4 PORTIONS

Jambonnette de volaille

4 c. à soupe de lait

30 g (½ tasse) de mie de pain

2 c. à soupe d'huile de canola

½ échalote émincée

200 g (7 oz) de champignons de Paris, hachés très finement

50 g (2 oz) de foies de volaille hachés finement

200 g (7 oz) de porc haché

1 œuf

4 cuisses de poulet désossées (en laissant le manchon) (voir ▶)

Sel et poivre, au goût

Écrasé de pommes de terre

1 kg (2,2 lb) de pommes de terre Yukon Gold pelées

200 g (7 oz) de beurre

1 c. à café de nard des pinèdes moulu (ou de muscade)

Jus de viande

3 échalotes émincées

2 gousses d'ail émincées

2 branches de thym

1 c. à soupe d'huile de canola

500 ml (2 tasses) de vin rouge

1 litre (4 tasses) de fond de veau (du commerce)

2 à 3 c. à soupe de vinaigre de vin rouge

Poêlée de champignons crabes

140 g (2 tasses) de champignons crabes séchés

1 litre (4 tasses) d'eau chaude

3 c. à soupe d'huile de canola

2 échalotes émincées

2 c. à soupe de beurre

6 tiges de ciboulette ciselées

Jambonnette de volaille

Préchauffer le four à 180 °C (350 °F). Graisser un moule à muffins.

Dans un bol, verser le lait et ajouter la mie de pain. Laisser imbiber pendant 10 minutes.

Chauffer une poêle à feu moyen-vif. Ajouter l'huile de canola et faire revenir l'échalote et les champignons hachés pendant 4 minutes. Ajouter les foies de volaille et cuire 2 minutes de plus. Retirer de la poêle, laisser refroidir et hacher.

Dans un grand bol, mélanger le porc haché, la mie de pain imbibée, le mélange de foies et l'œuf jusqu'à l'obtention d'une farce homogène. Saler, poivrer et farcir chacune des cuisses désossées. Mouler les cuisses dans le moule à muffins en formant une boule. Cuire au four pendant 45 minutes. Démouler et servir chaud.

Écrasé de pommes de terre

Préchauffer le four à 180 °C (350 °F).

Envelopper les pommes de terre de papier d'aluminium et cuire au four de 60 à 90 minutes. Laisser tiédir, puis peler. Déposer les pommes de terre dans un cul de poule, les écraser à la fourchette, ajouter le beurre et le nard des pinèdes. Saler et poivrer. Réserver au chaud.

Jus de viande

Dans une casserole, à feu doux, faire suer les échalotes, l'ail et le thym dans l'huile pendant 10 minutes. Augmenter le feu à moyen-vif, déglacer avec le vin rouge et laisser réduire des trois quarts. Mouiller avec le fond de veau et laisser réduire jusqu'à l'obtention d'une consistance sirupeuse. Filtrer dans une passoire. Saler, poivrer et ajouter 1 c. à soupe de vinaigre de vin rouge par 250 ml de jus réduit. Réserver au chaud.

Poêlée de champignons crabes

Dans un bol, déposer les champignons et verser l'eau chaude dessus. Laisser tremper 15 minutes. Retirer de l'eau et égoutter dans une passoire.

Chauffer une grande poêle à feu moyen-vif, ajouter l'huile et faire revenir les champignons pendant 8 minutes. Ajouter l'échalote et faire rôtir à feu vif pendant 5 minutes. Ajouter le beurre et la ciboulette, mélanger et retirer du feu. Saler et poivrer, et servir avec l'écrasé de pommes de terre, la jambonnette de volaille et du jus de viande.

▶ Demandez à votre boucher de préparer les cuisses de volaille.

BAVETTE DE JEUNE WAPITI ET LÉGUMES GRILLÉS, CONDIMENT À L'OSEILLE ET AUX GRAINES DE CAMÉLINE

4 PORTIONS

Légumes grillés

12 petites pommes de terre, avec la pelure

2 courgettes jaunes coupées en tranches de 1 cm (½ po)

2 courgettes vertes coupées en tranches de 1 cm (½ po)

1 botte d'asperges parées et pelées

2 betteraves rouges moyennes

3 épis de maïs, avec la pelure

4 c. à soupe d'huile de canola

Sel et poivre, au goût

Condiment à l'oseille

¼ de petit oignon blanc haché finement

1 gousse d'ail hachée finement

2 c. à soupe de persil haché finement

4 c. à soupe d'oseille sauvage* hachée finement

3 c. à soupe d'huile de canola

1 c. à soupe de piment d'argile*

1 c. à soupe de graines de caméline

2 c. à soupe de vinaigre de cidre

1 c. à soupe de vin blanc

Bavettes de jeune wapiti

4 bavettes de jeune wapiti (ou de veau) de 180 g (7 oz) chacune

2 c. à soupe d'huile de canola

Légumes grillés

Dans une casserole remplie d'eau froide salée, à feu vif, porter les pommes de terre à ébullition. Réduire le feu à moyen-doux et faire frémir pendant 10 minutes environ, jusqu'à tendreté. Couper les pommes de terre en deux et réserver.

Cuire les betteraves de la même manière en calculant une vingtaine de minutes de cuisson. Refroidir légèrement, peler et couper en tranches de 1 cm (½ po).

Préchauffer le barbecue à puissance moyenne (180 °C/350 °F).

Dans un bol, mélanger, à tour de rôle, chaque variété de légumes avec l'huile de canola, du sel et du poivre. Déposer les légumes, séparément, sur la grille du barbecue et les cuire de 4 à 12 minutes, selon la variété, jusqu'à ce qu'ils soient cuits et bien grillés de chaque côté. Pour le maïs, qui demande une cuisson plus longue, le cuire dans son enveloppe, en le retournant fréquemment, pour qu'il conserve son humidité et que les grains ne brûlent pas. Réserver les légumes au chaud.

Condiment à l'oseille

Dans un bol, mélanger tous les ingrédients, en finissant par le vinaigre de cidre et le vin blanc pour ne pas cuire les herbes, puis saler et poivrer. Réserver.

Bavettes de jeune wapiti

Préchauffer le barbecue à intensité moyenne (190 °C/375 °F).

Huiler les bavettes, puis les saler et les poivrer. Déposer sur la grille du barbecue et cuire 3 minutes de chaque côté. Retirer la viande du barbecue, déposer dans une assiette, couvrir de papier d'aluminium et laisser reposer 5 minutes. Servir les bavettes bien chaudes, avec les légumes grillés, et nappées du condiment à l'oseille.

* Voir le tableau de substitutions à la page 25.

CÔTELETTES DE PORC GRILLÉES À LA MOUTARDE DE LIVÈCHE, SALADE DE LENTILLES BELUGA AUX ÉCHALOTES DE SAINTE-ANNE ET AU VIN ROUGE

4 PORTIONS

Marinade et côtelettes de porc grillées

1 échalote hachée finement

4 c. à soupe de moutarde de Dijon

4 c. à soupe de feuilles de livèche*

125 ml (½ tasse) d'huile de canola

4 côtelettes de porc de l'Élevage des Pigeonneaux Turlo (coupe hôtel, de préférence)

Sel et poivre, au goût

Salade de lentilles Beluga

3 c. à soupe d'huile de canola

2 tranches de bacon coupées en dés

½ carotte coupée en brunoise

½ branche de céleri coupée en brunoise

½ oignon coupé en brunoise

184 g (1 tasse) de lentilles Beluga (voir ▶)

125 ml (½ tasse) de vin rouge

2 feuilles de laurier

2 branches de thym

1,2 litre (5 tasses) de bouillon de légumes (ou d'eau)

Échalotes de Sainte-Anne

6 échalotes de Sainte-Anne, avec la pelure, coupées en deux sur la longueur (ou 6 grosses échalotes standard) (voir ▶▶)

2 c. à soupe d'huile de canola

Dressage

4 c. à soupe d'achillée millefeuille, pour garnir (ou de cerfeuil frais)

Marinade et côtelettes de porc grillées

Dans un bol, à l'aide d'un mélangeur à main, mixer l'échalote, la moutarde et les feuilles de livèche jusqu'à l'obtention d'un mélange lisse. Continuer à mixer tout en incorporant l'huile en filet, pour émulsionner. Réserver la moitié de la marinade dans un bol. Avec l'autre moitié, badigeonner les côtelettes de porc des deux côtés et laisser mariner au réfrigérateur de 10 à 12 heures.

Préchauffer le barbecue à intensité moyenne (180 °C/350 °F).

Déposer les côtelettes de porc sur la grille du barbecue et cuire jusqu'à une température interne de 60 °C (140 °F), en prenant soin de bien les quadriller.

Salade de lentilles Beluga

Dans une casserole, à feu moyen, chauffer l'huile. Ajouter le bacon et cuire 5 minutes. Ajouter les brunoises de carotte, de céleri et d'oignon et les lentilles. Poursuivre la cuisson pendant 5 minutes, en remuant. Déglacer avec le vin rouge et laisser réduire à sec. Ajouter le laurier, le thym et le bouillon de légumes. Porter à ébullition, baisser le feu et laisser mijoter de 45 minutes à 1 heure ou jusqu'à ce que le liquide soit complètement absorbé et que les lentilles soient tendres, tout en gardant leur forme. Retirer le laurier et le thym et laisser refroidir, puis ajouter la marinade réservée. Saler, poivrer et réserver.

Échalotes de Sainte-Anne

Préchauffer le barbecue à intensité moyenne-douce (135 °C/275 °F).

Badigeonner les échalotes d'huile de canola, saler, poivrer et déposer directement sur la grille du haut du barbecue. Laisser griller de 8 à 10 minutes, jusqu'à ce que les échalotes soient fondantes. Garder au chaud et servir avec la pelure pour que l'échalote se tienne.

Dressage

Servir une côtelette de porc par personne, avec trois morceaux d'échalote de Sainte-Anne et une bonne portion de salade de lentilles tiède. Garnir d'un peu d'achillée millefeuille.

▶ La lentille Beluga est noire, petite et bien ronde. C'est pourquoi on la surnomme souvent «le caviar des lentilles». Originaire du Canada, elle est riche en fibres et en protéines. On la trouve en épicerie et dans les magasins d'alimentation naturelle.

▶▶ L'échalote (ou oignon) de Sainte-Anne ressemble à l'échalote dite «française». Cultivée au Québec depuis des décennies, elle est vivace et très prolifique.

* Voir le tableau de substitutions à la page 25.

GÂTEAU DES ANGES À LA FLEUR DE MÉLILOT, BLEUETS DU QUÉBEC, CRÈME ANGLAISE AU MIEL DE SARRASIN

4 PORTIONS

Gâteau des anges

7 blancs d'œufs

1 c. à café de crème de tartre

170 g (¾ tasse) de sucre

125 g (1 ¼ tasse) de farine

150 g (1 tasse) de sucre d'érable

½ c. à café de fleur de mélilot*

Crème anglaise au miel de sarrasin

190 ml (¾ tasse) de crème
à fouetter 35 %

2 c. à soupe de miel de sarrasin

3 jaunes d'œufs

4 c. à soupe de sucre

Bleuets du Québec

200 g (2 tasses) de bleuets du Québec
(préférablement du Lac-Saint-Jean)

4 c. à soupe de sucre

½ c. à café de pectine

1 c. à café de vinaigre de bleuets

2 c. à soupe de miel de sarrasin,
pour garnir

Gâteau des anges

Préchauffer le four à 180 °C (350 °F).

Dans un bol, à l'aide d'un batteur électrique, monter les blancs d'œufs en neige avec la crème de tartre et le sucre, jusqu'à l'obtention de pics fermes.

Dans un autre bol, tamiser la farine, le sucre d'érable et la fleur de mélilot. Incorporer délicatement le mélange de farine aux blancs d'œufs, en deux fois, en pliant délicatement la masse.

Mouler dans 4 emporte-pièces de 7,5 cm (3 po) de diamètre non beurrés et cuire de 15 à 20 minutes au centre du four. Laisser refroidir sur une grille avant de démouler. Passer un petit couteau autour du gâteau pour démouler.

Crème anglaise

Dans une casserole, à feu moyen, porter la crème et le miel à ébullition.

Dans un bol, à l'aide d'un batteur électrique, blanchir les jaunes d'œufs avec le sucre jusqu'à ce qu'ils soient mousseux et aient pâli. Sans cesser de battre, verser la moitié de la crème chaude sur les œufs. Bien mélanger et reverser dans la casserole, avec le reste de la crème. Porter à ébullition en fouettant constamment. Verser dans un bol, recouvrir d'une pellicule plastique et laisser refroidir au réfrigérateur.

Bleuets du Québec

Dans une casserole, à feu moyen, chauffer la moitié du sucre avec les bleuets, sans porter à ébullition, en remuant à l'occasion à l'aide d'une maryse.

Dans un petit bol, mélanger le reste du sucre avec la pectine. Ajouter le sucre et la pectine au mélange de bleuets. Porter à ébullition à feu moyen-vif, en remuant à l'occasion. Ajouter le vinaigre et maintenir l'ébullition pendant 1 minute. Transférer dans un bol, laisser refroidir et réserver.

Dressage

Répartir la crème anglaise dans des assiettes. Ajouter les gâteaux, napper de bleuets et garnir de miel. Servir.

* Voir le tableau de substitutions à la page 25.

À BOIRE !

INTERMIEL GEAI BLEU, BOISSON À L'ÉRABLE AROMATISÉE AUX BLEUETS, 375 ML, CANADA (QUÉBEC), CODE SAQ 10892292, 22,85 $
Voilà un produit original créé dans les Basses-Laurentides. Il est issu du jumelage réussi de deux ingrédients typiques du terroir québécois : les bleuets sauvages du Lac-Saint-Jean et la sève d'érable concentrée des Laurentides. Si l'on déguste souvent le Geai bleu à l'heure du cocktail ou de l'apéro, il est aussi délicieux avec des fromages ou un dessert aux fruits qui, comme ce gâteau des anges, contient les mêmes ingrédients. Mais comme il est bien pourvu en alcool (22 %) en raison de sa teneur en eau-de-vie d'érable, on s'assure d'en verser une rasade raisonnable aux invités, en fin de repas. Servir à 10 °C.

GRANITÉ AUX FRAMBOISES, CRÈME PRISE À LA MENTHE INDIGÈNE, BAGUETTES SUCRÉES ET MOUSSEUX DE CIDRE

4 PORTIONS

Crème prise à la menthe indigène

1 feuille (2 g) de gélatine

125 ml (½ tasse) d'eau froide

250 ml (1 tasse) de crème à fouetter 35 %

4 c. à soupe de lait

20 feuilles de menthe sauvage*

60 g (⅓ tasse) de sucre

Baguettes sucrées

1 œuf (pour la dorure)

1 feuille de pâte feuilletée du commerce

50 g (⅓ tasse) de sucre d'érable

Granité aux framboises

180 ml (¾ tasse) d'eau froide + 150 ml (⅔ tasse)

175 g (1 tasse) de sucre

500 g (4 tasses) de framboises

375 ml (1 ½ tasse) de jus de canneberges

Mousseux de cidre

125 ml (½ tasse) de cidre mousseux

1 blanc d'œuf

Crème prise à la menthe indigène

Dans un bol, faire gonfler la gélatine dans l'eau froide.

Dans une casserole, à feu moyen, porter à ébullition la crème, le lait et la menthe. Retirer du feu et laisser infuser pendant 5 minutes. Laisser refroidir légèrement et filtrer dans un tamis.

Égoutter la gélatine et l'ajouter au mélange de crème avec le sucre. Bien mélanger, verser dans un moule de 20 cm (8 po) et laisser prendre au réfrigérateur de 10 à 12 heures.

Baguettes sucrées

Préchauffer le four à 180 °C (350 °F).

Dans un bol, battre l'œuf avec une pincée de sel. Badigeonner la pâte feuilletée des deux côtés avec l'œuf battu, puis saupoudrer de sucre d'érable sur les deux faces. Sur le sens de la longueur, tailler des bandes de pâte de 3 cm (1,5 po). Torsader les bandes sur elles-mêmes et les déposer sur une plaque à pâtisserie tapissée de papier sulfurisé. Cuire de 8 à 10 minutes ou jusqu'à ce que les baguettes soient bien dorées.

Granité

Dans une casserole, porter à ébullition 180 ml (¾ tasse) d'eau avec le sucre. Mettre les framboises dans un grand bol et verser le sirop chaud dessus. À l'aide d'un mélangeur à main, mixer un peu l'appareil pour concasser légèrement les framboises. Ajouter le jus de canneberges et 150 ml (⅔ tasse) d'eau, et bien mélanger. Verser le mélange dans un grand plat allant au congélateur et congeler, en prenant soin de gratter le granité avec une fourchette toutes les 30 minutes. Après 2 heures, couvrir d'une pellicule plastique et laisser au congélateur jusqu'au moment de servir.

Mousseux de cidre

Juste avant de servir, verser le cidre mousseux et le blanc d'œuf dans un shaker à cocktail et agiter vigoureusement.

Dressage

Démouler la crème prise et l'accompagner des baguettes sucrées. Dans 4 verrines, répartir le granité aux framboises et garnir du mousseux de cidre. Servir immédiatement.

* Voir le tableau de substitutions à la page 25.

PARFAITS AUX FRAISES ET AU SAPIN BAUMIER, BROCHETTES DE BEIGNETS

4 PORTIONS

Beignets

2 c. à soupe de beurre

2 c. à soupe de lait

1 c. à café de levure sèche

2 c. à soupe d'eau tiède

1 œuf

125 g (1 tasse) de farine

2 c. à soupe de sucre

½ c. à café de nard des pinèdes*

½ c. à café de fleur de mélilot*

¼ c. à café de poivre des dunes*

2 c. à soupe de sucre d'érable

8 fraises coupées en deux

Parfaits aux fraises

3 c. à soupe d'eau froide

75 g (⅓ tasse) de sucre

4 jaunes d'œufs

125 ml (½ tasse) de fraises en purée

125 ml (½ tasse) de crème à fouetter 35 %

1 goutte d'essence de sapin baumier* (ou ½ c. à café de sapin baumier en poudre)

Dressage

1 casseau de fraises

Coulis de fraises

Beignets

Au four à micro-ondes, faire fondre le beurre dans le lait. Entre-temps, diluer la levure sèche dans l'eau tiède.

Verser tous les ingrédients des beignets, sauf le sucre d'érable et les fraises, dans le bol d'un batteur sur socle muni d'un crochet à pâte. Pétrir pendant 10 minutes. Retirer le crochet à pâte, déposer un linge légèrement fariné sur le bol de pâte et laisser reposer au réfrigérateur pendant 45 minutes.

Fariner un plan de travail. À l'aide d'un rouleau à pâtisserie, abaisser la pâte à 1,5 cm (¾ po) d'épaisseur et tailler des cercles de 3 cm (1 ½ po) de diamètre à l'aide d'un verre ou d'un emporte-pièce. Déposer sur une plaque de pâtisserie légèrement farinée et laisser gonfler pendant 1 heure environ ou jusqu'à ce que les cercles aient doublé de volume.

Préchauffer l'huile de la friteuse à 160 °C (325 °F).

Faire frire les beignets pendant 4 minutes ou jusqu'à l'obtention d'une belle coloration, puis égoutter sur des essuie-tout. Rouler les beignets encore chauds dans le sucre d'érable et embrocher sur de petites brochettes, en alternant avec les moitiés de fraises.

Parfaits aux fraises

Dans une casserole, porter l'eau et le sucre à ébullition. Remuer jusqu'à ce que le sucre soit fondu et retirer du feu.

Dans un bol, déposer les jaunes d'œufs et verser le sirop bouillant dessus. À l'aide d'un mélangeur à main, fouetter vigoureusement jusqu'à ce que le mélange ait bien refroidi. Ajouter la moitié de la purée de fraises, en pliant délicatement. Réserver.

Dans un autre bol, à l'aide d'un mélangeur à main, monter la crème en pics fermes et ajouter l'autre moitié de la purée de fraises et l'essence de sapin baumier, en pliant délicatement la masse.

Mélanger la préparation de jaunes d'œufs et la crème fouettée en pliant délicatement la masse. Verser dans 4 moules de silicone de 7,5 cm (3 po) de diamètre et congeler de 10 à 12 heures.

Dressage

Couper les fraises en deux. Démouler les soufflés glacés et servir avec les brochettes de beignets, les fraises et un peu de coulis de fraises.

* Voir le tableau de substitutions à la page 25.

TARTE AUX CERISES ET AUX CAMERISES, CRÈME FRAÎCHE À L'HYDROMEL ET AUX GRAINES DE MYRICA

4 PORTIONS

Garniture aux cerises et aux camerises

400 g (2 ½ tasses) de cerises fraîches dénoyautées

250 g (2 ½ tasses) de camerises*

200 ml (¾ tasse) d'hydromel

240 g (1 ¼ tasse) de sucre

50 g (⅓ tasse) de fécule de maïs

80 ml (⅓ tasse) d'eau

Fond de tarte

375 g (3 tasses) de farine tamisée

1 ½ c. à café de sel

250 g (8 oz) de beurre non salé, tempéré + 1 c. à café pour beurrer l'assiette à tarte

180 ml (¾ tasse) de lait

Crème fraîche à l'hydromel

125 ml (½ tasse) de crème sure

2 c. à soupe d'hydromel

1 c. à soupe de miel

1 c. à café de graines de myrica* moulues

Garniture aux cerises et aux camerises

Dans un bol, mélanger les cerises, les camerises, l'hydromel et le sucre. Couvrir et laisser reposer au réfrigérateur de 8 à 12 heures.

Dans un bol, diluer la fécule de maïs dans l'eau. Réserver.

Dans une casserole, verser le mélange de cerises et de camerises. À feu moyen-vif, chauffer juste sous le point d'ébullition, puis ajouter la fécule de maïs diluée. Poursuivre la cuisson jusqu'à ce que la préparation ait épaissi. Réserver.

Fond de tarte

Dans un bol, mélanger la farine et le sel. Ajouter le beurre tempéré et sabler jusqu'à ce que le beurre soit bien intégré. Ajouter le lait, en 3 fois, en pétrissant chaque fois. Lorsque la boule de pâte est prête, la fariner légèrement, l'emballer d'une pellicule plastique et laisser reposer au réfrigérateur de 8 à 12 heures.

Préchauffer le four à 180 °C (350 °F).

Beurrer une assiette à tarte en verre de 23 cm (9 po). Couper la boule de pâte en deux. Abaisser la première moitié à 3 mm (⅛ po), chemiser l'assiette et réfrigérer 30 minutes.

Remplir l'abaisse avec la garniture. Abaisser la seconde moitié de pâte et former des bandelettes de 0,5 cm (¼ po) de largeur environ et les disposer en quadrillé sur le dessus de la tarte après avoir humecté la bordure et les bandelettes avec la dorure. Pincer les contours de la tarte pour bien sceller la pâte. Cuire au four pendant 45 minutes.

Crème fraîche à l'hydromel

Dans un bol, verser tous les ingrédients et bien mélanger. Servir avec la tarte.

* Voir le tableau de substitutions à la page 25.

À BOIRE !

FERME APICOLE DESROCHERS, ENVOLÉE, HYDROMEL, QUÉBEC (LAURENTIDES), CODE SAQ 00884569, 14,45 $
Rien de plus naturel pour accompagner cette tarte aux fruits agrémentée d'une crème à l'hydromel que d'opter pour le vin de miel de l'un des meilleurs producteurs québécois. La famille Desrochers possède depuis de nombreuses années ses propres ruchers dans la région de Mont-Laurier (Laurentides) et son miel est très réputé. Pas étonnant que son hydromel récolte aussi les honneurs ! Celui-ci est demi-sec, avec d'agréables notes boisées, jumelées à des saveurs de pomme et de miel assez présentes. La bouche est grasse, avec une bonne longueur. Servir à 10 °C.

AUTOMNE

Si le magnifique automne québécois représente une saison privilégiée pour ceux qui aiment cuisiner et mettre en pots les abondants fruits et légumes qu'on trouve en épicerie, au marché ou au jardin, il revêt aussi, en revanche, un côté nostalgique. On sent une certaine urgence en humant l'air frais et en s'extasiant devant les couleurs de nos forêts : il faut faire vite, car, bientôt, les premiers gels arriveront et le jardin aura fini de donner. On sait bien que le froid nous guette et, avec lui, la perte de lumière pendant plusieurs mois. C'est le propre d'un pays nordique, et il faut savoir en tirer le meilleur parti possible.

La chasse aux champignons sauvages passionnera ceux qui s'y connaissent en mycologie. Pourquoi ne pas s'inscrire à un cours d'identification auprès d'un cercle de mycologues ? Les sorties en forêt n'en seront que plus agréables ! C'est aussi l'occasion de faire provision de canneberges sauvages, d'églantier (roseau sauvage), de pimbina ou de pommettes pour faire des gelées ou des liqueurs, et la marguerite blanche sera délicieuse pour agrémenter vos salades, tandis que le myrique baumier donnera une délicieuse saveur de sous-bois à vos filets de porc.

Pour Arnaud et Jean-Luc, l'automne, c'est : les randonnées en forêt avec les enfants et les défis de la chasse au caribou.

QUATRE PRODUCTEURS

L'Argousier du Mont-Ferréol : savoureuse acidité

Le chef Arnaud Marchand raffole des contrastes qui valorisent les saveurs acidulées. Ce n'est donc pas étonnant qu'il ait été séduit par les jolies petites baies orange d'argousier lorsque le producteur Léandre Saindon les lui a fait goûter. En 2010, ce dernier, amateur de sports d'endurance et de plein air, a établi son verger sur ses terres, près du mont Sainte-Anne, à une altitude de 350 mètres, parce qu'il souhaitait cultiver un produit à haute valeur nutritionnelle et gustative ajoutée. Il a choisi des cultivars d'argousier russes, tel le Chuskaya, parce qu'ils sont savoureux, modérément acides et riches en substances antioxydantes, qui aident le corps à lutter contre l'inflammation causée par les radicaux libres. Les baies d'argousier renferment aussi des acides gras oméga végétaux, beaucoup de vitamine C et des minéraux. Léandre Saindon récolte ses baies sur branche l'automne, lorsqu'elles sont juteuses et sucrées. Il surgèle les branches entières, puis détache les fruits un à un, avant de les ensacher, toujours surgelés, processus qui permet de les récolter sans les endommager. L'argousier du Mont-Ferréol est offert surgelé ou séché (en poudre). On peut en faire des coulis, des cocktails, des smoothies, l'ajouter à une préparation de dessert, comme la tarte à l'argousier du bistro Chez Boulay. Avec les feuilles séchées, Léandre Saindon prépare des tisanes.

Le Canard Goulu, pionnier de l'élevage de canards à foie gras

Sébastien Lesage se passionne pour le canard depuis l'enfance, puisque son père, gentilhomme fermier et gastronome, élevait quelques-uns de ces oiseaux pour son plaisir. En 1997, Sébastien troque la toge d'avocat contre la chemise de flanelle de l'éleveur et fonde son entreprise à Saint-Apollinaire, dans Chaudière-Appalaches. À la ferme, il élève annuellement 30 000 canards de Barbarie, aussi appelés canards musqués, réputés tant pour la qualité de leur chair que pour leur foie gras. Le Canard Goulu est aussi un modèle de production respectueuse du bien-être animal et de biosécurité. Les canetons arrivent à la ferme au sortir de l'œuf. Ils grandissent pendant 12 semaines dans des enclos vastes, bien aérés, et sont nourris de moulée sans farine animale ni médicaments. Le gavage des canards mâles se fait dans le respect, sur une période de deux semaines, avec une purée

1. Arnaud Marchand et Léandre Saindon examinent un plant d'argousier, à Saint-Ferréol.

2. Les baies d'argousier renferment des acides gras oméga végétaux, beaucoup d'antioxydants qui aident le corps à lutter contre l'inflammation et des minéraux.

3. À la ferme du Canard Goulu, Sébastien Lesage élève 30 000 canards de Barbarie, réputés autant pour la qualité de leur chair que pour leur foie gras.

4. Scène d'automne spectaculaire en forêt.

1.
2.
3.
4.

1.
2.
3.
4.

de maïs. De nombreux chefs ne jurent d'ailleurs que par les produits du Canard Goulu pour leur qualité, leur fraîcheur et leur constance. Depuis quelques années, Sébastien Lesage a aussi ouvert trois boutiques qui offrent une grande variété de plats cuisinés par Le Canard Goulu, qu'on retrouve en outre dans de nombreuses épiceries fines : foie gras au torchon, cassoulet, terrines, confit de canard, sauce à spaghetti, etc.

Nutra-Fruit, la canneberge comme vous ne l'avez jamais dégustée

Depuis sa création au printemps 2006, l'entreprise fondée par un dynamique duo formé de Jean-François Veilleux et Yolande Kougioumoutzakis, qui sont partenaires en affaires comme dans la vie, a le vent dans les voiles. Entrepreneur né, Jean-François est passionné de gastronomie et excellent cuisinier, tandis que Yolande possède une formation dans le domaine des aliments nutraceutiques et fonctionnels. De là à conjuguer leur double passion et fonder une compagnie qui pourrait allier création culinaire et élaboration de produits à haute valeur ajoutée pour la santé, il n'y avait qu'un pas, que les deux tourtereaux ont franchi allègrement en créant Nutra-Fruit. Leur entreprise ajoute à toutes les sauces la canneberge, un aliment santé que tout le monde connaît et apprécie sous forme de jus ou de gelée. Sauf qu'ils la transforment en une trentaine de produits gourmets avec lesquels on peut inventer une foule de recettes : huile de pépins de canneberges de première pression, vinaigre, poudre de canneberges séchées, vinaigrettes, moutarde, gelée pure canneberge ou canneberges et cidre de glace, confit d'oignons et de canneberges, canneberges séchées à l'orange, infusée au porto et à l'érable, enrobées de chocolat noir, tartinade canneberge et chocolat, etc. Chez Boulay, on raffole de l'huile de pépins de canneberges et de la poudre de canneberges non sucrée.

Ferme des Monts : légumes biologiques rares !

Marc Bérubé, un passionné d'agriculture biologique, est l'un des pionniers québécois dans ce domaine. Depuis une trentaine d'années, il fournit plusieurs des meilleures tables du Québec, dont Chez Boulay, avec ses magnifiques légumes et ses petites verdures qui proviennent de sa ferme du secteur Sainte-Agnès, dans Charlevoix. Dans son caveau, il garde précieusement des légumes d'hiver qui permettent à ses complices cuisiniers de s'approvisionner durant la saison froide. Lui qui quittait Montréal avec sa famille en 1972 pour apprendre les rudiments de l'agriculture biologique auprès des cultivateurs de la région n'aurait jamais pu se douter, à l'époque, qu'il deviendrait le fournisseur de légumes rares de quelques-unes des plus grandes toques de la province. Après s'être fait une spécialité des mini-légumes, il s'est tourné vers les légumes oubliés, comme les topinambours, le salsifis, la racine de raifort, les radis d'hiver, les carottes jaunes, mauves, rouges et blanches, qui étaient populaires avant la carotte orange, des betteraves de différentes couleurs, la pomme de terre corne de bélier ou la bleue, une variété péruvienne ancienne. Il cultive aussi certaines verdurettes, des herbes et des fleurs comestibles qui permettent aux chefs de garnir leurs assiettes et de leur conférer une signature plus nordique, comme la fleur de monarde, la livèche, la grande oseille ou le cerfeuil musqué.

1. Les canneberges sauvages font partie de la diète des Premières Nations depuis toujours.

2. Nutra-Fruit a réussi l'exploit de créer près d'une trentaine de produits gourmets à base de canneberges, nous permettant de bénéficier autant de leurs vertus santé que de leur délicieux potentiel culinaire.

3. De beaux légumes d'automne, que l'on pourra déguster tout l'hiver.

4. À la Ferme des Monts, dans Charlevoix, Marc Bérubé (à droite) cultive une grande sélection de légumes biologiques qui font le bonheur des chefs cuisiniers.

ŒUFS FLEURETTES AUX CÈPES ET MOUILLETTES À LA RACINE DE CÉLERI SAUVAGE

4 PORTIONS

Mouillettes

2 tranches de pain de ménage

1 c. à soupe de beurre salé

1 racine de céleri sauvage*
fraîchement râpée (environ
1 c. à soupe)

Œufs fleurettes

2 c. à soupe d'huile de canola

2 c. à soupe de bolets séchés

4 c. à soupe de vin blanc

250 ml (1 tasse) de crème
à cuisson 35 %

4 œufs

Sel et poivre, au goût

Garniture

2 c. à soupe de ciboulette
hachée finement

50 g (½ tasse) de cèpes frais poêlés
(ou autres champignons sauvages
au goût)

Mouillettes

Couper les croûtes latérales des tranches de pain, puis tailler des lanières de 2,5 cm (1 po) de largeur, de manière à en obtenir 12. Dans une poêle, à feu moyen, faire mousser le beurre jusqu'à légère coloration. Ajouter les lanières de pain et les faire revenir 30 secondes de chaque côté. Déposer les mouillettes sur une plaque et parsemer de racine de céleri sauvage râpée. Réserver.

Œufs fleurettes

Préchauffer le four à 180 °C (350 °F).

Dans une poêle, à feu moyen, chauffer l'huile et faire revenir les bolets pendant 2 minutes afin de les torréfier, mais sans les brûler. Déglacer avec le vin blanc et laisser réduire à sec. Ajouter la crème, porter à ébullition, retirer du feu, et laisser tiédir.

Répartir le mélange de crème également dans quatre ramequins. Casser un œuf dans chacun des ramequins. Placer dans une rôtissoire, verser de l'eau chaude à mi-hauteur des ramequins et cuire au four pendant 8 minutes.

Au moment de servir, garnir de ciboulette et de cèpes. Accompagner des mouillettes.

À BOIRE !

PITHON-PAILLÉ ANJOU MOSAÏK CHENIN BLANC 2015, FRANCE, CODE SAQ 10525345, 26,70 $

Cet excellent vin à 100 % de chenin blanc, produit dans la vallée de la Loire, est élaboré avec soin, selon les règles de l'agrobiologie. Belle teinte jaune-vert, arômes de pomme verte, de cire d'abeille et de fleurs blanches. On retrouve aussi le miel et la pomme à la dégustation. On perçoit également le côté légèrement crayeux du sol calcaire typique de l'Anjou-Saumur. Bonne longueur en bouche, avec un peu de gras en finale. Servir autour de 8 °C.

PANCAKES À LA CITROUILLE, ESPUMA DE POMMETTES ET GRAINES DE CITROUILLE À L'ÉRABLE

4 PORTIONS

Pancakes à la citrouille

220 g (2 tasses) de farine

1 c. à café de poudre à pâte (levure chimique)

½ c. à café de sel

1 c. à café de sucre

1 c. à café de nard des pinèdes*

2 œufs

250 ml (1 tasse) de lait

4 c. à soupe de purée de citrouille

Graines de citrouille à l'érable

70 g (½ tasse) de graines de citrouille

1 c. à soupe de farine

2 c. à soupe de sirop d'érable

Espuma de pommettes

400 g (2 ½ tasses) de pommettes équeutées

210 g (1 tasse) de beurre non salé bien froid

125 g (²⁄₃ tasse) de cassonade

125 ml (½ tasse) de crème à fouetter 35 %

Pommes poêlées

2 c. à soupe de beurre non salé

1 c. à café de cassonade

2 pommes pelées, épépinées et coupées en 8 quartiers

Pancakes à la citrouille

Dans un bol, tamiser la farine et la poudre à pâte. Ajouter le sel, le sucre et le nard des pinèdes.

Dans un autre bol, à l'aide d'un fouet, battre les œufs. Ajouter le lait et la purée de citrouille, et bien mélanger. Incorporer les ingrédients secs au mélange d'œufs en fouettant délicatement.

Dans une poêle antiadhésive, à feu moyen, vaporiser un peu d'huile en aérosol. Verser l'équivalent d'une cuillère à crème glacée (60 g / ¼ tasse) de pâte pour chaque pancake. Cuire 4 pancakes à la fois, de 1 à 2 minutes de chaque côté, jusqu'à ce qu'ils soient bien dorés et qu'un cure-dent piqué au centre en ressorte sec. Répéter l'opération jusqu'à ce que tous les pancakes soient cuits. Réserver au chaud.

Graines de citrouille à l'érable

Préchauffer le four à 180 °C (350 °F). Couvrir une plaque de cuisson de papier sulfurisé.

Dans un bol, mélanger les graines de citrouille avec la farine pour bien les enrober. Passer au tamis pour enlever l'excédent de farine. Ajouter le sirop d'érable, bien mélanger et déposer sur la plaque préparée. Cuire au four de 15 à 20 minutes ou jusqu'à ce que les graines soient caramélisées. Laisser refroidir à la température ambiante.

Espuma de pommettes

Préchauffer le four à 180 °C (350 °F).

Déposer les pommettes dans un plat allant au four. Ajouter le beurre en morceaux et la cassonade. Couvrir et cuire de 45 minutes à 1 heure, en remuant toutes les 15 minutes. Au mélangeur à main, réduire le reste en purée lisse. Passer au tamis et refroidir au réfrigérateur. Au moment de servir, bien mélanger la purée de pommettes avec la crème et verser dans un siphon, avec 2 cartouches de CO_2. Bien agiter et servir.

Pommes poêlées

Juste avant de servir, dans une poêle, à feu moyen, faire fondre le beurre avec la cassonade. Ajouter les pommes et cuire de 2 à 3 minutes de chaque côté ou jusqu'à ce qu'elles soient dorées, mais encore fermes.

Dresser les pommes sur les pancakes, ajouter l'espuma de pommettes, garnir de graines de citrouille, des pommettes réservées et d'un filet de sirop de pommette.

* Voir le tableau des substitutions à la page 25.

À BOIRE !

CHÂTEAU DE CARTES POMMENBULLES 2014, CIDRE MOUSSEUX, 500 ML, CANADA (ESTRIE), CODE SAQ 12645148, 10,50 $
Le Château de cartes est un sympathique vignoble situé à Dunham, au cœur de la route des vins des Cantons-de-l'Est. On y produit aussi de l'excellent cidre, comme celui-ci. D'une teinte paille soutenue, il est demi-sec et pétillant. Ses bulles sont fines, nombreuses et persistantes ; une vraie fête en bouche ! Il est délicieux avec ces pancakes, grâce à ses notes de pomme en compote et à son côté légèrement floral. D'une bonne acidité, il sera parfait servi autour de 8 °C.

CRÈME DE POTIMARRON À LA FLEUR DE MÉLILOT, VERMICELLES DE COURGE CROQUANTS ET CRÈME FLEURETTE

4 PORTIONS

Crème de potimarron

1 petit potimarron de 500 g (1 lb) coupé en deux (voir ▷)

1 c. à soupe d'huile de canola (pour la courge) + 2 c. à soupe (pour les légumes)

2 gousses d'ail écrasées + 1 gousse émincée

2 branches de thym

4 c. à soupe de céleri coupé en dés

4 c. à soupe de pomme de terre pelée et coupée en dés

1 petit oignon coupé en dés

1 litre (4 tasses) de bouillon de volaille ou de légumes

4 gouttes d'essence de fleur de mélilot*

Sel et poivre, au goût

Vermicelles de courge et crème fleurette

¼ petite courge musquée (butternut) pelée

1 c. à soupe d'huile de canola

1 c. à soupe de vinaigre de cidre

1 c. à soupe de graines de potimarron

4 c. à soupe de crème à fouetter 35 %

Crème de potimarron

Préchauffer le four à 180 °C (350 °F). Couvrir une plaque de cuisson de papier sulfurisé.

Évider les moitiés de potimarron en réservant les graines. Nettoyer les graines et bien les assécher, puis, dans un poêlon, à feu moyen, les rôtir à sec pendant 5 minutes ou jusqu'à ce qu'elles dégagent leur arôme. Réserver.

Badigeonner les moitiés de potimarron de 1 c. à soupe d'huile et déposer dans chacune 1 gousse d'ail écrasée et 1 branche de thym en les pressant contre la chair. Déposer les moitiés de potimarron sur la plaque préparée (face intérieure sur la plaque) et cuire de 45 minutes à 1 heure ou jusqu'à ce que la pointe d'un couteau perce le potimarron facilement. Évider la chair (retirer le thym) et réserver.

Entre-temps, dans une casserole, chauffer 2 c. à soupe d'huile à feu moyen-doux, ajouter le céleri, la pomme de terre et l'oignon, et faire suer pendant 10 minutes. Ajouter le bouillon. Saler, poivrer et porter à ébullition. À feu doux, laisser mijoter de 30 à 45 minutes ou jusqu'à ce que les légumes soient très tendres.

Ajouter la chair de potimarron rôtie et passer au mélangeur jusqu'à l'obtention d'une texture lisse. Passer au tamis, si désiré, rectifier l'assaisonnement au besoin, ajouter l'essence de mélilot et réserver au chaud.

Vermicelles de courge et crème fleurette

À l'aide d'une mandoline, tailler la courge en julienne très fine. Dans un bol, mélanger la julienne avec l'huile de canola, le vinaigre de cidre et les graines de potimarron. Saler, poivrer et réserver.

Au batteur électrique ou au fouet, battre la crème en pics mous. Saler et poivrer.

Servir le potage avec un peu de garniture de vermicelles croquants et de crème fleurette.

▷ Le potimarron est une petite citrouille, plus savoureuse et moins fibreuse que la citrouille traditionnelle qu'on transforme en lanterne à l'Halloween. On en trouve maintenant facilement dans les marchés publics et dans la plupart des épiceries, en saison.

* Voir le tableau des substitutions à la page 25.

FEUILLETÉS DE CHAMPIGNONS PIEDS DE MOUTON ET OIGNONS MARINÉS

4 PORTIONS

Champignons pieds de mouton

3 c. à soupe d'huile de canola

1 échalote hachée finement

400 g (14 oz) de champignons pieds de mouton coupés en deux (ou autres champignons au goût)

4 c. à soupe de crème à cuisson 35 %

1 tige de ciboule (oignon vert) ciselée

Sel et poivre, au goût

Oignons marinés

4 c. à soupe de sirop d'érable

125 ml (½ tasse) de vinaigre de cidre

125 ml (½ tasse) d'eau

1 c. à café de graines de moutarde

1 branche de thym

160 g (1 tasse) d'oignons rouges perlés pelés

Feuilletés

½ feuille de pâte feuilletée du commerce

1 œuf battu (pour la dorure)

100 g (3 ½ oz) de fromage Le Migneron en lamelles (ou autre pâte semi-ferme)

Champignons pieds de mouton

Dans une poêle, chauffer l'huile à feu moyen-vif et y faire sauter l'échalote et les pieds de mouton pendant 5 minutes. Saler et poivrer. Réserver.

Oignons marinés

Dans une casserole, à feu moyen-vif, porter à ébullition le sirop d'érable, le vinaigre, l'eau, les graines de moutarde et le thym. Ajouter les oignons, réduire le feu et laisser mijoter 1 minutes. Verser dans un bol les oignons et la marinade. Couvrir et laisser mariner au réfrigérateur.

Feuilletés

Préchauffer le four à 190 °C (375 °F). Couvrir une plaque de cuisson de papier sulfurisé.

Couper la pâte feuilletée en quatre rectangles, les déposer sur la plaque préparée et les badigeonner de l'œuf battu.

Cuire au four pendant 8 minutes. Laisser refroidir et couper en deux sur l'épaisseur.

Dressage

Au moment de servir, ajouter la crème et la ciboule à la préparation de champignons et réchauffer. Garnir chaque feuilleté de sauce, de quelques lamelles de fromage et servir avec les oignons marinés et une salade d'endives, si désiré.

FOIE GRAS POÊLÉ, BEURRE D'ÉGLANTIER ET PAIN DORÉ BRIOCHÉ

4 PORTIONS

Pain doré brioché

2 œufs

60 ml (¼ tasse) de crème à fouetter 35 %

60 ml (¼ tasse) de lait

½ c. à café de graines de carvi sauvage* moulues

4 tranches de pain brioché

2 c. à soupe de beurre

Foie gras

1 lobe de foie gras coupé en 4 escalopes

Sel et poivre, au goût

250 ml (1 tasse) de beurre d'églantier « Gourmande de nature » (voir ▷)

Pain doré brioché

Dans un bol, battre les œufs. Ajouter la crème, le lait et le carvi sauvage, et bien mélanger. Tremper les tranches de pain une à une dans le mélange à pain doré, les déposer dans une assiette et les laisser s'imbiber pendant 1 minute.

Dans une poêle antiadhésive, à feu moyen-doux, chauffer le beurre. Ajouter les tranches de pain et cuire de 2 à 3 minutes de chaque côté ou jusqu'à ce qu'elles soient bien colorées et cuites à cœur. Réserver au chaud.

Foie gras

Préchauffer le four à 180 °C (350 °F).

À feu vif, chauffer une poêle, sans corps gras. Bien saler et poivrer le foie gras des deux côtés. Lorsque la poêle est très chaude, déposer les escalopes encore froides (pour ne pas qu'elles fondent trop rapidement). Bien colorer des deux côtés, en enlevant le gras fondu au fur et à mesure.

Terminer la cuisson au four pendant 1 minute ou jusqu'à ce que les escalopes atteignent une température interne de 50 °C (122 °F).

Servir le foie gras sur le pain doré brioché et garnir de beurre d'églantier.

▷ L'églantier est une plante de la famille des rosiers sauvages dont on fait des gelées après les premiers froids de l'automne. Le beurre d'églantier est un produit original, mais difficile à faire à la maison, en raison des nombreux pépins que contiennent les baies. Il faut utiliser une centrifugeuse pour obtenir une texture intéressante et le processus est long et fastidieux. Mieux vaut donc utiliser ce beurre fabriqué par une chef réputée des Îles-de-la-Madeleine, Johanne Vigneau, qui a créé toute une gamme de délicieux condiments transformés et élaborés à partir d'ingrédients sauvages dans la collection « Gourmande de nature ». Claudie, aux Jardins de la mer, en produit aussi (voir « Nos bonnes adresses », page 25).

* Voir le tableau des substitutions à la page 25.

À BOIRE !

MICHELE CHIARLO NIVOLE 2015, VIN MOUSSEUX, ITALIE, CODE SAQ 11791848, 19,70 $
Voici un délicieux vin moelleux à base de moscato d'Asti, qui ira à merveille avec le gras du foie gras et l'acidité du beurre d'églantier. Michele Chiarlo est un producteur piémontais réputé, qui vient régulièrement au Québec. Ses enfants travaillent dorénavant au succès de l'entreprise familiale. On aime l'exubérance de ce vin, doté, comme il se doit, d'un bon niveau de sucre résiduel, couplé à une rafraîchissante acidité. Bulles fines, bouche gourmande de fruits exotiques et de miel. Servir à 6 °C.

RILLETTES DE LAPIN À LA MOUTARDE, SALADE TIÈDE DE SALSIFIS ET DE BETTE À CARDE

4 PORTIONS

Rillettes de lapin

500 g (1 lb) de chair de lapin

2 c. à soupe de gros sel

3 branches de thym

1 litre (4 tasses) de gras de canard fondu

1 ½ c. à soupe de moutarde du Québec

2 c. à soupe de gras de canard

4 tiges de ciboulette ciselées

Sel et poivre, au goût

Salade tiède

250 g (2 tasses) de salsifis pelés et coupés en bâtonnets de 5 cm (2 po)

250 g (2 tasses) de tiges de bette à carde coupées en bâtonnets de 5 cm (2 po)

3 c. à soupe d'huile de canola

80 g (2 tasses) de feuilles de bette à carde émincées

¼ oignon rouge émincé

1 c. à soupe de graines de moutarde sauvage (ou standard)

4 c. à soupe de vinaigre de miel

1 c. à soupe de jus de viande

Chips de salsifis

1 salsifis tranché finement à la mandoline

Rillettes de lapin

Frotter la chair de lapin avec le gros sel et le thym, déposer dans un bol, couvrir et réfrigérer pendant 12 heures.

Préchauffer le four à 135 °C (275 °F).

Rincer la chair de lapin, déposer dans un contenant allant au four, puis arroser du gras de canard fondu. Couvrir et mettre au four de 1 heure 30 à 2 heures ou jusqu'à ce que la chair se défasse aisément à la fourchette.

Retirer un peu de gras de la préparation de lapin. Dans un bol, écraser légèrement la chair de lapin à la fourchette. Ajouter la moutarde, le gras de canard et la ciboulette. Saler, poivrer et mélanger. Mettre la préparation dans un moule à pain de 8 cm x 15 cm (3 po x 6 po), couvrir de papier d'aluminium et réfrigérer pendant 4 heures.

Salade tiède

Porter une casserole d'eau salée à ébullition. Cuire, à tour de rôle, les salsifis et les tiges de bette à carde, environ 10 minutes pour les premiers et 4 minutes pour les secondes ou jusqu'à tendreté (ne pas trop cuire). Plonger immédiatement dans un bol d'eau glacée pour arrêter la cuisson et fixer la couleur.

Dans une poêle, chauffer 1 c. à soupe d'huile de canola et faire revenir les salsifis et les tiges de bette à carde pendant 2 minutes. Retirer du feu et ajouter les feuilles de bette à carde, l'oignon rouge, les graines de moutarde, le vinaigre, 2 c. à soupe d'huile de canola et le jus de viande. Saler et poivrer. Servir tiède.

Chips de salsifis

Dans une friteuse ou une casserole à haut rebord, faire chauffer l'huile à 160 °C (325 °F). Plonger délicatement les tranches de salsifis dans l'huile bouillante en prenant soin de les remuer pour éviter qu'elles s'agglutinent en cuisant. Frire pendant 1 minute ou jusqu'à ce que les salsifis soient légèrement dorés et croustillants. Égoutter sur des essuie-tout, saler et réserver.

Accompagner la salade tiède de rillettes, de chips de salsifis et de pain grillé.

À BOIRE !

CHÂTEAU DE PIZAY MORGON, VIN ROUGE, FRANCE, CODE SAQ 00719393, 19,30 $
Le gamay est un cépage débordant de fraîcheur et de fruit qui va particulièrement bien avec les rillettes. Entre des mains expertes comme celles-ci, en appellation morgon, il donne un vin gouleyant, d'une jolie teinte rubis, avec des notes de fraise, de cerise, de pivoine et d'herbe fraîchement coupée. En bouche, on perçoit un peu de cannelle, en plus du fruit, et les tanins sont souples. Servir bien frais, autour de 15 °C.

TATIN DE BETTERAVES ROUGES AU SIROP DE BOULEAU, CRÉMEUX DE CHÈVRE ET BETTERAVE JAUNE MARINÉE

4 PORTIONS

Tatin de betteraves rouges

4 betteraves rouges moyennes non pelées

125 ml (½ tasse) de sirop de bouleau*

125 ml (½ tasse) de sirop d'érable

125 ml (½ tasse) de vinaigre de cidre

½ feuille de pâte feuilletée du commerce

Crémeux de fromage de chèvre

115 g (½ tasse) de fromage de chèvre des neiges à la température ambiante

4 c. à soupe de crème à fouetter 35 %

4 tiges de ciboulette ciselées

Sel et poivre, au goût

Betterave jaune marinée

1 betterave jaune moyenne cuite, coupée en quartiers

125 ml (½ tasse) de vinaigre de cidre

125 ml (½ tasse) d'eau

4 c. à soupe de miel

2 branches de sarriette

Dressage

2 c. à soupe de sirop de bouleau*

Tatin de betteraves rouges

Préchauffer le four à 180 °C (350 °F). Chemiser un moule en pyrex de 8 cm x 15 cm (3 po x 6 po) de papier sulfurisé. Couvrir une plaque de cuisson de papier sulfurisé.

Envelopper individuellement les betteraves dans du papier d'aluminium et cuire au four de 2 à 3 heures ou jusqu'à ce qu'elles soient tendres. Retirer du four et laisser refroidir. Retirer le papier d'aluminium et peler les betteraves.

Entre-temps, dans une casserole, à feu moyen, faire réduire des trois quarts le sirop de bouleau, le sirop d'érable et le vinaigre de cidre de 10 à 15 minutes ou jusqu'à l'obtention d'un beau caramel.

À l'aide d'une mandoline, couper les betteraves en fines tranches. Badigeonner le fond du moule préparé d'un peu de caramel, puis disposer le quart des tranches de betterave en rangs bien serrés. Répéter cette opération trois autres fois, couvrir d'un papier sulfurisé, en s'assurant qu'il touche les betteraves. Cuire au four pendant 1 heure 30. Retirer du four et laisser refroidir de 8 à 12 heures en plaçant un léger poids sur le tatin (un autre moule à pain, par exemple). Découper en 4 rectangles.

Déposer la demi-feuille de pâte feuilletée sur la plaque préparée et la piquer à la fourchette sur toute sa surface. Déposer un autre papier sulfurisé sur la pâte, puis une autre plaque de cuisson par-dessus et cuire au four de 30 à 45 minutes. Refroidir et découper en 4 rectangles à l'aide d'un couteau dentelé.

Crémeux de fromage de chèvre

Dans un bol, à l'aide d'un fouet, bien battre le fromage de chèvre. Ajouter la crème et la ciboulette, saler et poivrer, et mélanger à nouveau.

Betterave jaune marinée

Déposer les quartiers de betterave jaune dans un pot de verre. Dans une casserole, à feu vif, porter à ébullition le vinaigre, l'eau, le miel et la sarriette. Verser sur les quartiers de betterave, couvrir et réfrigérer pendant 6 heures.

Dressage

Répartir les feuilletés dans 4 assiettes et y déposer les tatins de betterave. À l'aide de deux cuillères à café, façonner le crémeux de chèvre en petites quenelles et disposer dans les assiettes. Garnir de quartiers de betterave jaune et de quelques gouttes de sirop de bouleau.

* Voir le tableau des substitutions à la page 25.

CRÈME DE TOPINAMBOUR, GÉSIERS DE CANARD CONFITS ET CHIPS DE TOPINAMBOUR

4 PORTIONS

Gésiers de canard confits

250 g (8 oz) de gésiers de canard

1 c. à café de gros sel

2 branches de thym

500 ml (2 tasses) de gras de canard fondu

Crème de topinambour

1 c. à soupe d'huile de canola

500 g (1 lb) de topinambours pelés, coupés en cubes

4 c. à soupe de poireau émincé

4 c. à soupe de pomme de terre pelée et coupée en dés

1 petit oignon haché

1 gousse d'ail hachée finement

1 litre (4 tasses) de bouillon de volaille ou de légumes

125 ml (½ tasse) de crème à fouetter 35 %

Sel et poivre, au goût

Chips de topinambour

2 ou 3 petits topinambours

Garniture

2 c. à café d'huile de canola

2 c. à soupe de cerfeuil haché

Gésiers de canard confits

Dans un bol, mélanger les gésiers de canard avec le sel et le thym. Couvrir et réfrigérer de 8 à 10 heures.

Préchauffer le four à 150 °C (300 °F).

Rincer les gésiers, les assécher et les déposer dans un plat allant au four. Dans une casserole, à feu moyen, chauffer le gras de canard et le verser sur les gésiers de façon à bien les recouvrir. Couvrir et cuire au four de 2 à 3 heures ou jusqu'à ce que les gésiers soient bien tendres. Réserver.

Crème de topinambour

Dans une casserole, à feu moyen-doux, chauffer l'huile et faire suer les topinambours, le poireau, la pomme de terre, l'oignon et l'ail pendant 10 minutes. Ajouter le bouillon, saler, poivrer et porter à ébullition. Réduire à feu doux et laisser mijoter de 30 à 45 minutes ou jusqu'à ce que les légumes soient très tendres.

Passer au mélangeur jusqu'à l'obtention d'une texture lisse. Passer au tamis, si désiré, ajouter la crème et rectifier l'assaisonnement, au besoin. Réserver au chaud.

Chips de topinambour

Dans une friteuse ou une casserole à haut rebord, faire chauffer l'huile à 160 °C (325 °F). À l'aide d'une mandoline, couper les topinambours en tranches fines. Éponger avec des essuie-tout, au besoin. Plonger délicatement dans l'huile bouillante en prenant soin de les remuer pour éviter que les tranches s'agglutinent en cuisant. Frire pendant 1 minute ou jusqu'à ce que les chips soient légèrement dorés et croustillants. Égoutter sur des essuie-tout, saler et réserver.

Dressage

Couper les gésiers confits en tranches assez fines. Verser la crème de topinambour bien chaude dans des bols, ajouter les gésiers confits. Garnir d'un peu d'huile et de cerfeuil. Servir.

FILETS DE TRUITE MEUNIÈRE, POMMES DE TERRE FONDANTES AU FUMET ET TOMBÉE DE CHOU FRISÉ AU BEURRE D'ARGOUSIER

4 PORTIONS

Pommes de terre fondantes

1 c. à soupe de beurre clarifié

2 pommes de terre Yukon Gold pelées, coupées en tranches de 2 cm (1 po)

2 gousses d'ail émincées

4 branches de thym

250 ml (1 tasse) de fumet de poisson

Tombée de chou frisé

4 c. à soupe de vinaigre de cidre

1 échalote hachée finement

1 gousse d'ail hachée finement

4 c. à soupe de baies d'argousier*

100 g (½ tasse) de beurre froid, coupé en dés

1 c. à soupe d'huile de tournesol

100 g (4 tasses) de chou frisé (*kale*) haché grossièrement

Sel et poivre, au goût

Filets de truite meunière

3 c. à soupe de beurre

2 gousses d'ail écrasées, avec la pelure

3 branches de thym

4 filets de truite de 170 g (6 oz) chacun

Pommes de terre fondantes

Dans une poêle, à feu moyen, chauffer le beurre clarifié. Ajouter les pommes de terre, l'ail et le thym, et cuire de 5 à 10 minutes ou jusqu'à ce que les pommes de terre soient bien colorées.

Ajouter le fumet de poisson, porter à ébullition, puis réduire à feu doux et laisser cuire tout doucement jusqu'à ce que les pommes de terre soient fondantes, mais se tiennent encore. Retirer les pommes de terre du fumet et réserver. Laisser réduire le jus de cuisson jusqu'à ce qu'il soit sirupeux. Réserver au chaud.

Tombée de chou frisé

Dans une petite casserole, à feu moyen-vif, réduire à sec le vinaigre avec l'échalote et l'ail. Ajouter les baies d'argousier en ajoutant le beurre graduellement et en fouettant afin de bien émulsionner, style beurre blanc.

Dans une poêle, à feu moyen, chauffer l'huile de tournesol et faire revenir le chou frisé pendant 3 minutes. Déglacer avec la moitié du beurre d'argousier et garder au chaud. Réserver le reste du beurre d'argousier.

Filets de truite meunière

Dans une grande poêle, à feu moyen, faire mousser le beurre. Ajouter l'ail, le thym et les filets de truite, côté peau dessous. Cuire la truite pendant 8 minutes environ à l'unilatérale, en l'arrosant avec le beurre moussant. La température à cœur devrait atteindre 54 °C (130 °F) au thermomètre à viande.

Dressage

Servir les filets de truite croustillants sur la tombée de chou frisé, ajouter quelques pommes de terre fondantes, un peu de fumet et arroser avec le beurre d'argousier réservé.

* Voir le tableau des substitutions à la page 25.

VIGNOBLE RIVIÈRE DU CHÊNE CUVÉE WILLIAM 2015, VIN BLANC, CANADA (QUÉBEC), CODE SAQ 744169, 15,55 $
Produit par cet excellent domaine des Basses-Laurentides dont la réputation a dépassé nos frontières, ce vin vif, frais et pourvu d'une bonne acidité a d'agréables notes d'agrumes, de pêche et de fleurs de tilleul. Il réveillera avec souplesse la chair délicate de la truite, tout en s'accordant parfaitement avec le petit côté aigrelet de l'argousier. Servir autour de 8 °C.

SAUMON RÔTI, CARPACCIO DE COURGE MUSQUÉE, ÉPINARDS, BEURRE BLANC AU GIN UNGAVA ET BAIES DE GENIÈVRE

4 PORTIONS

Carpaccio de courge musquée

310 g (2 tasses) de courge musquée pelée

3 c. à soupe d'huile de canola

Beurre blanc au gin Ungava

125 g (½ tasse) d'échalote hachée finement

1 c. à soupe d'huile de canola

60 ml (¼ tasse) de vinaigre de vin blanc

250 ml (1 tasse) de vin blanc

1 c. à soupe de baies de genièvre, grossièrement broyées

125 ml (½ tasse) de gin Ungava

125 ml (½ tasse) de crème à cuisson 35 %

500 g (1 lb) de beurre froid coupé en cubes

Saumon rôti

4 pavés de saumon de 170 g (6 oz) chacun

2 c. à soupe d'huile de canola

2 c. à soupe de beurre

2 gousses d'ail entières, avec la pelure

2 branches de thym entières

125 g (4 tasses) d'épinards

Carpaccio de courge musquée

À l'aide d'une mandoline, couper la courge en tranches de 3 mm (⅛ po) d'épaisseur.

Dans une poêle, à feu moyen, chauffer l'huile et faire rôtir les tranches de courge de 2 à 3 minutes de chaque côté ou jusqu'à tendreté. Réserver au chaud.

Beurre blanc au gin Ungava

Dans une petite casserole, à feu moyen-vif, faire suer l'échalote dans l'huile sans la laisser colorer. Déglacer avec le vinaigre et le vin blanc. Ajouter les baies de genièvre et laisser réduire de moitié. Ajouter le gin, réduire de nouveau de moitié, puis mouiller avec la crème. Laisser frémir à feu doux pendant 15 minutes.

Réduire en crème au mélangeur à main. Incorporer les cubes de beurre un à un, en fouettant, pour émulsionner la sauce. Saler, poivrer et maintenir au chaud à feu très doux pour éviter que le beurre se sépare.

Saumon rôti

Saler et poivrer le poisson. Dans une poêle, à feu vif, chauffer l'huile. Ajouter le beurre. Quand il mousse, ajouter le poisson, l'ail et le thym. Saisir le poisson de 3 à 4 minutes de chaque côté ou jusqu'à l'obtention d'une belle coloration. Retirer du feu et couvrir de papier d'aluminium. Laisser reposer pendant 5 minutes.

Dressage

Dans une assiette de service, disposer le carpaccio de courge musquée en rosace. Ajouter les épinards, le beurre blanc et le saumon rôti. Servir.

À BOIRE !

BACHELDER SAVIGNY-LÈS-BEAUNE LES BAS LIARDS 2013, VIN BLANC, FRANCE, CODE SAQ 12089567, 38,75 $
L'extraordinaire œnologue montréalais Thomas Bachelder, qu'on a d'abord connu au Clos Jordanne, au Niagara, possède maintenant sa propre gamme de vins, élaborés dans trois terroirs distincts : Niagara, Oregon et Bourgogne. C'est d'ailleurs en Bourgogne qu'il a appris son métier. Ce vin créé avec 100 % de pinot blanc porte bel et bien la signature Bachelder, qui a rendu le sympathique Québécois célèbre partout sur la planète vin : il est racé, élégant, souple et légèrement crayeux, on y décèle des notes de cantaloup, de pêche et de pain grillé. Bonne longueur en bouche. Un pur délice ! Servir entre 8 à 10 °C.

BALUCHONS DE CHOU VERT AU CANARD CONFIT, CRÉMEUSE DE POMMES DE TERRE ET OIGNONS CIPOLLINI BRAISÉS

4 PORTIONS

Baluchons de chou vert

12 feuilles de chou de Savoie + 60 g (2 tasses) émincé finement

4 c. à soupe d'huile de canola

1 oignon haché finement

4 cuisses de canard confit du commerce, effilochées

135 g (1 tasse) de riz sauvage (canadien) cuit et égoutté

1 tige de ciboule (oignon vert) hachée finement

1 c. à café de fleur d'ail

½ c. à café de poivre des dunes moulu

2 c. à soupe de fond de veau

Crémeuse de pommes de terre

1 kg (2 lb) de pommes de terre Yukon Gold pelées

125 ml (½ tasse) de lait entier

200 g (1 tasse) de beurre fondu

200 g (7 oz) de fromage Tomme des Demoiselles (ou autre pâte semi-ferme)

Sel et poivre, au goût

Oignons cipollini braisés

2 c. à soupe de beurre

380 g (2 tasses) d'oignons cipollini pelés

125 ml (½ tasse) de fond de veau

125 ml (½ tasse) d'eau

3 branches de thym

Baluchons de chou vert

Dans une casserole d'eau bouillante, blanchir les 12 feuilles de chou de Savoie pendant 1 minute, puis les refroidir dans l'eau glacée. Égoutter et réserver.

Dans une casserole, à feu moyen, chauffer l'huile et faire caraméliser l'oignon pendant 20 minutes, en remuant de temps à autre. Égoutter au tamis pour retirer l'excédent d'huile, et laisser refroidir.

Dans un bol, mélanger l'oignon caramélisé, le canard confit, le riz sauvage, le chou de Savoie émincé, la tige de ciboule, la fleur d'ail, le poivre des dunes et le fond de veau. Déposer 60 g (2 oz) de farce sur chaque feuille de chou blanchie, rouler en forme de baluchon, puis emballer bien serré dans de la pellicule plastique pour maintenir la forme des baluchons et les rendre étanches à la cuisson.

Dans une casserole d'eau frémissante, à feu moyen-doux, pocher les baluchons de chou pendant 10 minutes. Retirer la pellicule plastique et réserver au chaud.

Crémeuse de pommes de terre

Dans une casserole remplie d'eau froide salée, à feu vif, porter les pommes de terre à ébullition. Réduire à feu moyen-doux, couvrir partiellement et cuire de 20 à 30 minutes ou jusqu'à tendreté. Égoutter et réduire en purée au presse-purée.

Dans une petite casserole, à feu moyen, chauffer le lait et le beurre jusqu'à frémissement. Verser sur les pommes de terre, mélanger délicatement et rapidement à la maryse pour éviter que l'amidon des pommes de terre se libère. Saler et poivrer. Réserver au chaud.

Oignons cipollini braisés

Dans une poêle, à feu moyen-doux, faire mousser le beurre. Ajouter les cipollini et faire revenir pendant 5 minutes ou jusqu'à ce qu'ils soient bien colorés. Retirer l'excédent de gras de la poêle, ajouter le fond de veau, l'eau et le thym. Faire frémir et laisser cuire doucement de 15 à 20 minutes ou jusqu'à ce que les oignons soient tendres.

Dressage

Au moment de servir, à l'aide d'un fouet, mélanger le fromage à la purée de pommes de terre jusqu'à ce qu'elle devienne élastique.

Servir les baluchons avec la crémeuse de pommes de terre et les oignons cipollini braisés.

À BOIRE !

COTEAU ROUGEMONT LE GRAND COTEAU 2014, VIN ROUGE, CANADA (QUÉBEC), CODE SAQ 12358190, 22,80 $
Élaboré à 80 % avec le cépage marquette et à 20 % avec du frontenac, ce vin gouleyant a une teinte d'un rouge profond, avec des arômes de violette et de cerise. En bouche, c'est soyeux et généreux, avec la mûre et la cerise équilibrées par des notes de champignon et de réglisse. Ce beau rouge produit par la famille Robert, en Montérégie, est un bonheur avec le canard, car sa rondeur vient compléter le gras du confit et le côté torréfié du riz sauvage, avec du fruit et des épices. Servir à 16 ºC.

CASSOULET À L'OIE SAUVAGE ET AUX BOLETS, MOUTARDE À L'ARONIE

4 PORTIONS

Cassoulet

2 cuisses d'oie

2 suprêmes d'oie

Gros sel (30 g par kg/
2 lb de viande)

500 g (2 tasses) de haricots blancs

3 c. à soupe d'huile de canola

16 g (½ tasse) de bolets séchés

1 c. à soupe d'ail haché

1,5 litre (6 tasses) de bouillon
de légumes (ou d'eau)

500 ml (2 tasses) de fond d'oie
(ou de veau)

145 g (1 tasse) d'oignons coupés
en macédoine

200 g (1 tasse) de carottes coupées
en macédoine

200 g (1 tasse) de tomates coupées
en macédoine

200 g (1 tasse) de céleri coupé
en macédoine

Sel et poivre, au goût

Moutarde à l'aronie

125 ml (½ tasse) de moutarde
de Dijon

80 g (½ tasse) de baies d'aronie*

2 c. à soupe d'eau

Cassoulet

Frotter généreusement les cuisses et les suprêmes d'oie avec le gros sel et déposer dans un plat. Couvrir d'une pellicule plastique et réfrigérer pendant 12 heures. Dans un grand bol, couvrir les haricots d'eau froide et laisser tremper pendant 12 heures.

Préchauffer le four à 150 °C (300 °F).

Essuyer l'excédent de sel des cuisses et des suprêmes d'oie, les rincer et les assécher à l'aide d'essuie-tout. Égoutter les haricots.

Dans un faitout, à feu moyen, chauffer l'huile. Ajouter les bolets séchés et l'ail, et faire sauter pendant 2 minutes. Ajouter les haricots, les cuisses d'oie, le bouillon de légumes et le fond d'oie, et cuire au four pendant 1 heure 30.

Ajouter les oignons, les carottes, les tomates, le céleri et les suprêmes d'oie, et poursuivre la cuisson 1 heure de plus. Retirer du four, enlever les cuisses et les suprêmes du faitout puis réserver.

Saler et poivrer le cassoulet, placer le faitout sur la cuisinière, à feu moyen, et laisser réduire du tiers ou jusqu'à l'obtention d'une texture sirupeuse. Remettre les cuisses et les suprêmes dans le faitout, réchauffer et servir.

Moutarde à l'aronie

Au mélangeur, mixer tous les ingrédients jusqu'à ce que la moutarde soit bien lisse. Passer au tamis, au besoin. Servir avec le cassoulet.

* Voir le tableau des substitutions à la page 25.

À BOIRE !

CHÂTEAU COUPE ROSES LES PLOTS, 2015, VIN ROUGE, FRANCE, CODE SAQ 00914275, 20,95 $
Ce vin est l'un des meilleurs rapports qualité-prix qu'on puisse trouver. Originaire du Languedoc-Roussillon, en Minervois, où l'on s'y connaît en cassoulet, il est à la fois puissant et généreux, avec un magnifique fruit, qui vient modérer sa trame tannique. Élaboré à 60 % de syrah, sans séjour en barrique. L'idéal consiste à le passer en carafe pour l'aider à s'ouvrir, car il est encore jeune ! Servir à 16 °C pour préserver son côté rafraîchissant et fruité.

BOUILLI D'AUTOMNE AU CERF BRAISÉ ET AUX FEUILLES DE MYRIQUE BAUMIER, ÉMULSION DE TOFU À L'HUILE DE NOIX

4 PORTIONS

Bouilli d'automne

250 g (8 oz) de lard salé

2 c. à soupe de beurre

4 jarrets de cerf de 200 à 250 g (7 à 8 oz) chacun

2 litres (8 tasses) de bouillon de légumes

4 feuilles de myrique baumier*

360 g (12 oz) d'oignons blancs coupés en quatre

500 g (1 lb) de chou vert coupé en quartiers

260 g (10 oz) de céleri pelé (pour enlever les filaments), coupé en bâtonnets de 5 cm (2 po)

350 g (12 oz) de carottes nantaises

350 g (12 oz) de pommes de terre grelot

200 g (7 oz) de haricots verts

Sel et poivre, au goût

Émulsion de tofu

1 paquet de tofu soyeux mou, du commerce

3 c. à soupe d'huile de noix Maison Orphée (ou autre huile de noix)

2 c. à soupe de moutarde en grains

4 tiges de ciboulette

Bouilli d'automne

Faire dégorger le lard salé dans de l'eau froide pendant 15 minutes. Égoutter, couper en 4 morceaux et réserver.

Dans une grande casserole, faire mousser le beurre. Saisir les jarrets de cerf des deux côtés pour bien les colorer. Ajouter le bouillon, le lard salé et le myrique baumier, et cuire, à feu moyen-doux, pendant 1 heure.

Ajouter l'oignon, le chou, le céleri, les carottes et les pommes de terre, et cuire 1 heure de plus. Ajouter les haricots verts et poursuivre la cuisson 20 minutes ou jusqu'à ce que la viande se détache de l'os. Rectifier l'assaisonnement, au besoin.

Émulsion de tofu

Dans un bol profond, à l'aide d'un mélangeur à main, mixer le tofu jusqu'à l'obtention d'une texture lisse. Ajouter l'huile de noix en un mince filet, tout en continuant à mixer pour émulsionner. Ajouter la moutarde et la ciboulette. Saler, poivrer et bien mélanger.

Dressage

Répartir le bouilli dans les assiettes. Servir avec l'émulsion de tofu.

* Voir le tableau des substitutions à la page 25.

À BOIRE !

MASI BROLO CAMPOFIORIN ORO, VIN ROUGE, ITALIE, CODE SAQ 11836364, 26,45 $
Masi, c'est un domaine parmi les mieux établis au Québec et les plus réputés dans le monde. Sandro Boscaini, le sympathique patron de cette grande maison établie depuis le 18e siècle à Valpolicella, en Vénétie, y veille, bien entouré de ses frères et de ses enfants. Ce vin charnu et puissant, aux arômes de cannelle, de chocolat, de prune et de cerise, est issu de raisins corvino et rondinella passerillés (partiellement séchés). Il témoigne de l'engagement de Masi à valoriser les cépages autochtones, afin de produire des vins modernes qui reflètent bien leur terroir d'origine. Passer en carafe 30 minutes avant de le servir, à environ 17 °C.

HENRY OF PELHAM BACO NOIR 2015, VIN ROUGE, CANADA (PÉNINSULE DU NIAGARA), CODE SAQ 270926, 16,40 $

Situé à St. Catharines, au Niagara, ce domaine familial géré par les trois frères Speck propose de véritables vins signature à des prix défiant la compétition. Ce rouge à 100 % de baco noir est l'un de leurs vins emblématiques. D'un rouge violacé presque noir, il rend pleinement justice à ce cépage hybride, reconnu pour son fruit généreux. En bouche et au nez, on retrouve la cerise, la mûre, un peu de cèdre et de clou de girofle. Les tanins sont souples. Servir bien frais, autour de 15 °C.

FONDUE NORDIQUE AU GIBIER, BOUILLON FORESTIER, SAUCES BORÉALES ET ACCOMPAGNEMENTS VARIÉS

4 PORTIONS

Bouillon forestier

3 c. à soupe d'huile de canola

20 g (1 tasse) de champignons forestiers séchés

1 oignon blanc haché finement

1 c. à café d'ail haché

2 c. à café d'herbes salées

4 litres (16 tasses) d'eau

1 litre (4 tasses) de fond brun

2 branches de thym

Sel et poivre, au goût

Sauces boréales

Ketchup

1 gros oignon coupé en dés

2 branches de céleri coupées en dés

2 c. à soupe d'huile de canola

125 ml (½ tasse) de vinaigre de cidre

360 g (2 tasses) de fraises d'automne coupées en cubes

1 c. à soupe de miel

Crème sure aux champignons

2 c. à soupe de poudre de champignons séchés

2 c. à soupe d'huile de canola

250 ml (1 tasse) de crème sure

2 c. à café d'herbes salées

1 ciboule (oignon vert) hachée finement

Mayonnaise au poivre des dunes

250 ml (1 tasse) de mayonnaise
(maison, de préférence)

½ échalote sèche hachée finement

3 tiges de ciboulette ciselées finement

½ c. à soupe de poivre des dunes*

Accompagnements

8 pleurotes érigés (*King Oyster*) coupés en tranches
de 1 cm (½ po)

1 brocoli défait en bouquets

12 tranches fines de cheddar Perron (ou autre cheddar)

8 oignons cipollini pelés et coupés en deux sur
l'épaisseur

4 à 6 pommes de terre cuites au four dans du papier
d'aluminium

Viandes

200 g (7 oz) de cerf pour fondue

200 g (7 oz) de pintade pour fondue

200 g (7 oz) de lapin pour fondue

200 g (7 oz) de canard pour fondue

Bouillon forestier

Dans une casserole, à feu doux, chauffer l'huile. Ajouter les champignons séchés et faire torréfier 2 minutes. Ajouter l'oignon, l'ail, les herbes salées et 1 litre (4 tasses) d'eau. Augmenter le feu à moyen-vif et laisser réduire à sec. Mouiller avec 1 litre (4 tasses) d'eau et laisser réduire à sec de nouveau. Mouiller encore avec 1 litre (4 tasses) d'eau et laisser réduire à sec de nouveau. Verser le reste de l'eau (1 litre/4 tasses), le fond brun et le thym. Saler et poivrer, si désiré, porter à ébullition et laisser mijoter pendant 25 minutes. Retirer les branches de thym, rectifier l'assaisonnement au besoin et verser dans un caquelon à fondue.

Sauces

Ketchup. Dans une casserole, faire suer l'oignon et le céleri dans l'huile pendant 5 minutes. Ajouter le vinaigre, les fraises et le miel, et laisser compoter à feu doux de 20 à 30 minutes ou jusqu'à ce que le liquide soit évaporé. Saler et poivrer.

Crème sure aux champignons. Dans un poêlon, à feu doux, faire revenir les champignons dans l'huile pendant 1 minute, et laisser refroidir. Dans un bol, mélanger la crème sure, les herbes salées, la ciboule et les champignons. Saler et poivrer.

Mayonnaise au poivre des dunes. Dans un bol, mélanger tous les ingrédients. Saler et poivrer.

Mettre les sauces dans des bols de service.

Accompagnements

Disposer les accompagnements de manière à créer une table conviviale et invitante, en laissant place à la créativité!

* Voir le tableau des substitutions à la page 25.

GIGOT DE CHEVREAU FARCI AU CÉLERI-RAVE, ÉTAGÉ DE COURGE MUSQUÉE À LA SARRIETTE ET JUS DE VIANDE

4 PORTIONS

Étagé de courge musquée

1 oignon moyen entier

½ courge musquée (butternut) moyenne, pelée et évidée

4 branches de sarriette effeuillées

1 c. à café d'ail haché

2 c. à soupe d'huile de canola

Sel et poivre, au goût

Gigot de chevreau

500 g (2 tasses) de céleri-rave coupé en fine julienne

4 c. à café de sel

1 c. à soupe de sarriette hachée

1 gigot de chevreau désossé

6 gousses d'ail

Jus de viande

3 échalotes hachées finement

2 gousses d'ail hachées finement

2 branches de thym

1 c. à soupe d'huile de canola

500 ml (2 tasses) de vin rouge

1 litre (4 tasses) de fond de veau

Étagé de courge musquée

Préchauffer le four à 150 °C (300 °F). Tapisser un moule à pain de 8 cm x 15 cm (3 po x 6 po) de papier sulfurisé.

À l'aide d'une mandoline, couper l'oignon et la courge en tranches fines. Dans un bol, mélanger l'oignon, la sarriette, l'ail et l'huile, saler et poivrer. Répartir le tiers des oignons dans le moule préparé, de façon à couvrir le fond. Ajouter le tiers de la courge, en prenant soin de faire se chevaucher les tranches, de manière à recouvrir toute la surface du moule. Répéter l'opération deux fois. Presser légèrement.

Cuire au four pendant 1 heure ou jusqu'à ce que la courge soit bien fondante et caramélisée. Laisser refroidir dans le moule de 10 à 12 heures, en plaçant un poids sur le dessus, un autre moule à pain par exemple.

Gigot de chevreau

Préchauffer le four à 180 °C (350 °F). Couvrir une plaque de cuisson de papier sulfurisé.

Dans un bol, mélanger la julienne de céleri-rave avec le sel et la sarriette, et laisser mariner pendant 10 minutes. Éponger la julienne avec de l'essuie-tout.

Déposer le gigot de chevreau sur la plaque préparée et étaler le céleri-rave au centre, en formant un boudin. Refermer le gigot sur lui-même et le ficeler sur toute la longueur, afin qu'il garde sa forme pendant la cuisson. Piquer les gousses d'ail dans la chair, sur le dessus, saler, poivrer et cuire au four de 1 heure 30 à 2 heures ou jusqu'à une cuisson à cœur de 56 °C (132 °F). Laisser reposer pendant 10 minutes, recouvert de papier d'aluminium, avant de servir.

Jus de viande

Dans une casserole, à feu doux, faire suer l'échalote, l'ail et le thym dans l'huile pendant 10 minutes. À feu moyen, déglacer avec le vin rouge et laisser réduire des trois quarts. Mouiller avec le fond de veau et laisser réduire jusqu'à consistance sirupeuse. Filtrer dans une passoire. Saler et poivrer.

Dressage

Réchauffer la préparation de courge au four pendant 20 minutes. Servir avec le gigot et le jus de viande bien chaud.

À BOIRE !

LAURENT COMBIER CROZES-HERMITAGES 2015, VIN ROUGE, FRANCE, CODE SAQ 11895065, 29,20 $

Dans cette appellation des Côtes du Rhône, où la syrah est reine, Laurent Combier cultive ses vignes en régie biologique depuis 1970. Il utilise des cuves de béton de forme ovale, qui permettraient un meilleur élevage du vin. Amoureux du pinot noir, il vinifie des rouges élégants qui, même s'ils sont à 100 % de syrah, ont l'élégance des grands vins bourguignons. Arômes de lavande, d'eucalyptus et de cassis, avec une bouche épicée où l'on retrouve la mûre et le cassis. Ce vin corsé, aux tanins moyens, sera délicieux servi comme un bourguignon, autour de 15 °C.

JARRETS D'AGNEAU BRAISÉS AU CARVI SAUVAGE, POLENTA CRÉMEUSE ET CHANTERELLES EN TUBE

4 PORTIONS

Jarrets d'agneau

4 jarrets d'agneau de la ferme Bérarc (ou autre)

2 c. à soupe d'huile de canola

1 carotte moyenne coupée en brunoise

1 oignon moyen coupé en brunoise

1 branche de céleri coupée en brunoise

1 c. à café de graines de carvi sauvage*

250 ml (1 tasse) de vin rouge

1 litre (4 tasses) de fond de veau

1 litre (4 tasses) d'eau

1 bulbe d'ail coupé en deux sur l'épaisseur

4 branches de thym

2 tiges de ciboules (oignons verts) hachées finement (pour garnir)

Polenta crémeuse

500 ml (2 tasses) de bouillon de légumes

500 ml (2 tasses) de lait

90 g (¾ tasse) de semoule de maïs

65 g (2 ½ oz) de cheddar fort râpé

4 c. à soupe de beurre

Sel et poivre, au goût

Chanterelles en tube

2 c. à soupe d'huile de canola

500 g (1 lb) de chanterelles en tube

2 échalotes hachées finement

4 c. à soupe de beurre

Jarrets d'agneau

Préchauffer le four à 150 °C (300 °F).

Dans un faitout, à feu vif, colorer les jarrets d'agneau dans l'huile. Réserver sur une assiette.

Dans le même faitout, à feu moyen, faire sauter la carotte, l'oignon, le céleri et les graines de carvi pendant 5 minutes. Déglacer avec le vin rouge, porter à ébullition et laisser réduire de moitié. Ajouter le fond de veau, l'eau, l'ail et le thym, et porter à ébullition. Ajouter les jarrets d'agneau, couvrir et cuire au four pendant 2 heures ou jusqu'à ce que la chair se détache facilement de l'os.

Retirer les jarrets d'agneau du faitout et réserver sur une assiette recouverte de papier d'aluminium. Filtrer le jus de cuisson dans une passoire placée au-dessus d'une petite casserole. Chauffer, à feu moyen-vif, jusqu'à ébullition, puis laisser réduire jusqu'à l'obtention d'une sauce consistante.

Polenta crémeuse

Dans une casserole, à feu moyen, porter le bouillon et le lait à ébullition. Incorporer la semoule de maïs en pluie, en fouettant continuellement. Réduire à feu doux et cuire la polenta, en remuant constamment, de 20 à 30 minutes ou jusqu'à cuisson complète, selon le type de polenta. Incorporer le fromage et le beurre en remuant, saler et poivrer, et réserver au chaud.

Chanterelles en tube

Dans une grande poêle, à feu moyen-vif, chauffer l'huile. Ajouter les chanterelles et faire sauter pendant 3 minutes. Ajouter l'échalote et poursuivre la cuisson 2 minutes. Ajouter le beurre, mélanger et retirer du feu. Saler, poivrer, ajouter sur la polenta au moment de servir, avec le jarret d'agneau et la sauce. Garnir de ciboules.

* Voir le tableau des substitutions à la page 25.

CRÈME BRÛLÉE À LA FLEUR ET AUX BAIES DE SUREAU

4 PORTIONS

Coulis de sureau

250 g (1 ¾ tasse) de baies de sureau*

2 c. à soupe de miel

50 g (¼ tasse) de sucre

2 c. à café de pectine

1 c. à soupe de vinaigre de sureau

Crème brûlée

500 ml (2 tasses) de crème à fouetter 35 %

2 c. à soupe de fleurs de sureau* séchées

6 jaunes d'œufs

75 g (⅓ tasse) de cassonade

4 c. à soupe de sucre ou de cassonade (pour faire dorer la crème brûlée)

Coulis de sureau

Dans une casserole, à feu doux, chauffer les baies de sureau et le miel.

Dans un bol, mélanger le sucre et la pectine et ajouter au mélange de baies de sureau. Porter à ébullition à feu moyen, puis ajouter le vinaigre et poursuivre l'ébullition pendant 1 minute, en remuant doucement. Retirer du feu.

Au robot culinaire, réduire la préparation en coulis lisse. Passer au tamis et réfrigérer pendant 12 heures.

Crème brûlée

Dans une casserole, à feu moyen, chauffer la crème sans la porter à ébullition et ajouter les fleurs de sureau. Verser dans un bol, couvrir de pellicule plastique et laisser infuser au réfrigérateur pendant 12 heures. Passer la crème au tamis.

Préchauffer le four à 150 °C (300 °F).

Dans un bol, à l'aide d'un batteur électrique, mélanger les jaunes d'œufs et la cassonade jusqu'à homogénéité. Déposer 2 c. à soupe de coulis de sureau dans quatre ramequins de 5 cm (2 po) de hauteur. Verser délicatement l'appareil à crème brûlée sur le coulis en prenant soin qu'il reste au fond. Placer les ramequins dans une rôtissoire, remplir d'eau bouillante aux trois quarts des ramequins et cuire au four de 15 à 20 minutes ou jusqu'à ce que la crème brûlée soit prise.

Retirer les ramequins du four et les laisser refroidir quelques minutes. Saupoudrer de sucre ou de cassonade et, à l'aide d'un chalumeau de cuisine, caraméliser le dessus des crèmes (ou mettre les ramequins sous le gril préchauffé du four de 3 à 4 minutes en les surveillant bien pour éviter que les crèmes brûlent). Servir aussitôt.

* Voir le tableau des substitutions à la page 25.

À BOIRE !

VIGNOBLE LA BAUGE, NOVEMBRE VENDANGE TARDIVE 2013, VIN DE DESSERT, 375 ML, CANADA (QUÉBEC), CODE SAQ 10853189, 16,95 $
Il y a plus de 30 ans, la famille Naud était une pionnière de l'élevage de sangliers et de la production de vins au Québec. Elle a aussi contribué à créer la Route des vins de Brome-Missisquoi. Ce vin, à la fois doux et fruité, possède des saveurs de pêche et de miel et il est doté d'une agréable acidité. Il est élaboré à partir de quatre cépages hybrides qui résistent bien à la rigueur de nos hivers. On les laisse geler sur le cep avant de les récolter, à la mi-novembre, ce qui permet au raisin de flétrir, perdant un peu d'eau et concentrant ses sucres. Moins sucré qu'un vin de glace, ce vin de vendange tardive est délicieux avec un dessert à base de fruits, comme cette crème brûlée. Servir à 10 °C.

TARTE À L'ARGOUSIER

8 À 10 PORTIONS

Pâte sablée à l'amande

250 g (2 tasses + 2 c. à soupe) de sucre glace

250 g (2 tasses + 2 c. à soupe) de poudre d'amandes

500 g (4 tasses) de farine

1 ½ c. à café de sel

2 c. à café de fleur de mélilot*

500 g (1 lb) de beurre non salé, froid, coupé en dés

1 œuf entier + 2 jaunes

Crème à l'argousier

1 c. à café de gélatine

2 c. à soupe d'eau

9 œufs

300 g (1 ½ tasse) de sucre

500 ml (2 tasses) de jus d'argousier

300 g (10 oz) de beurre non salé

Meringue à l'érable

2 blancs d'œufs

160 ml (²/₃ tasse) de sirop d'érable

* Voir le tableau des substitutions à la page 25.

Pâte sablée à l'amande

Dans un bol, bien mélanger le sucre glace, la poudre d'amandes, la farine, le sel et la fleur de mélilot. Ajouter les dés de beurre froid et sabler à l'aide d'un coupe-pâte ou de deux couteaux (voir ▶). Ajouter l'œuf entier et les 2 jaunes et bien mélanger, sans pétrir la pâte. Former une boule, emballer dans de la pellicule plastique et réfrigérer pendant 1 heure.

Préchauffer le four à 180 °C (350 °F). Graisser un moule à tarte de 23 cm (9 po) de diamètre.

Laisser reposer la pâte 15 minutes à la température ambiante. Sur une surface légèrement farinée, à l'aide d'un rouleau à pâtisserie, abaisser uniformément et finement la pâte et la déposer dans le moule préparé. Bien faire adhérer la pâte au moule et la piquer à la fourchette. Cuire au four pendant 20 minutes ou jusqu'à ce qu'elle soit bien dorée. Laisser refroidir complètement.

Crème à l'argousier

Dans un petit bol, mouiller la gélatine avec l'eau et réserver.

Dans un autre bol, à l'aide d'un fouet, mélanger les œufs et le sucre jusqu'à homogénéité.

Verser le jus d'argousier dans une casserole et ajouter le beurre. Chauffer à feu moyen-doux, sans bouillir, puis retirer du feu. Ajouter la préparation aux œufs et mélanger vigoureusement au fouet. Remettre la casserole sur feu moyen. Porter à ébullition en remuant constamment pour éviter que le mélange colle. Maintenir l'ébullition pendant 1 minute, retirer du feu et verser dans un bol. Ajouter la gélatine et mélanger délicatement à l'aide d'un fouet jusqu'à ce que la gélatine soit complètement dissoute. Laisser refroidir, en remuant à l'occasion, jusqu'à ce que l'appareil atteigne la température ambiante. Verser dans le fond de tarte et réfrigérer de 10 à 12 heures.

Meringue à l'érable

Dans un bol, à l'aide d'un batteur électrique, fouetter les blancs d'œufs à la plus basse vitesse.

Entre-temps, verser le sirop d'érable dans une casserole et cuire jusqu'à une température de 117 °C (243 °F) au thermomètre à bonbons. Augmenter la vitesse du batteur à moyenne et continuer de battre les blancs d'œufs tout en versant le sirop en un mince filet. À vitesse moyenne-forte, battre les blancs d'œufs jusqu'à refroidissement complet du sirop. Une fois le sirop refroidi, battre pendant 30 secondes à basse vitesse.

Verser la meringue sur la tarte et l'étendre uniformément, puis former de petits pics. Griller la meringue à l'aide d'un chalumeau de cuisine. Couper et servir.

▷ Il s'agit de mélanger rapidement les ingrédients secs et le beurre froid, de manière à former une pâte granuleuse, avec de petites billes de beurre mêlées uniformément à la farine.

NOUGAT GLACÉ À L'ÉPINETTE NOIRE, CARAMEL À LA FLEUR DE SEL ET CRUMBLE À L'AVOINE ET À LA CITROUILLE

4 PORTIONS

Nougat glacé

625 ml (2 ½ tasses) de crème à fouetter 35 %

5 blancs d'œufs moyens

180 ml (¾ tasse) de miel

4 c. à soupe de glucose (ou de sirop de maïs)

2 c. à soupe de sucre

½ c. à café de poudre d'épinette noire*

90 g (¾ tasse) de graines de citrouille grillées

180 g (6 oz) de fruits séchés (canneberges, bleuets, etc.)

Caramel à la fleur de sel

200 ml (¾ tasse + 2 c. à soupe) de crème à fouetter 35 %

200 g (1 tasse) de sucre

3 c. à soupe d'eau

4 c. à soupe de beurre non salé

½ c. à café de fleur de sel

Crumble à l'avoine et à la citrouille

90 g (1 tasse) de flocons d'avoine

60 g (½ tasse) de graines de citrouille non grillées

200 g (1 tasse) de cassonade

4 c. à soupe de beurre non salé

60 g (½ tasse) de farine

1 c. à café de sel

Nougat glacé

Dans un bol, à l'aide d'un batteur électrique, monter la crème en pics mous et réfrigérer.

Dans un autre bol, au batteur électrique à basse vitesse, fouetter les blancs d'œufs.

Entre-temps, dans une casserole, verser, dans l'ordre, le miel, le glucose et le sucre et cuire, à feu moyen, sans remuer, jusqu'à 110 °C (230 °F) au thermomètre à bonbons. Toujours sans remuer, laisser monter à 118 °C (244 °F) et, pendant ce temps, continuer à battre les blancs d'œufs en augmentant à vitesse moyenne. Dès que la température du sirop atteint 118 °C (244 °F), retirer la casserole du feu.

Verser le sirop de miel en filet sur les blancs d'œufs tout en fouettant au batteur électrique, à vitesse moyenne-élevée, jusqu'à refroidissement complet. Incorporer délicatement la poudre d'épinette, les graines de citrouille et les fruits secs. Ajouter la crème fouettée, en battant doucement jusqu'à ce que le mélange soit homogène.

Tapisser un moule de 8 cm x 15 cm (3 po x 6 po) de pellicule plastique. Verser la préparation dans le moule et congeler de 6 à 12 heures.

Caramel à la fleur de sel

Dans une casserole, à feu moyen, chauffer la crème sans la faire bouillir.

Dans une casserole, à feu moyen, cuire le sucre et l'eau, sans remuer, jusqu'à légère coloration. Poursuivre la cuisson, à feu moyen-doux, jusqu'à l'obtention d'une couleur légèrement dorée, tirant sur le roux. Retirer du feu.

Ajouter la crème chaude dans le mélange de sucre peu à peu, tout en remuant délicatement à l'aide d'un fouet. Attention à la vapeur, aux éclaboussures et aux débordements ! Lorsque la préparation est homogène, remettre sur le feu pendant 1 minute, puis, hors du feu, ajouter le beurre et la fleur de sel. Mélanger et réfrigérer.

Crumble à l'avoine et à la citrouille

Préchauffer le four à 190 °C (375 °F). Couvrir une plaque de cuisson de papier sulfurisé.

Dans un bol, mélanger les flocons d'avoine, les graines de citrouille et la cassonade. Dans une casserole ou au four micro-ondes, faire fondre le beurre et verser sur les flocons d'avoine. Ajouter la farine et mélanger juste assez pour amalgamer les ingrédients secs. Déposer sur la plaque préparée et cuire au four pendant 30 minutes, en mélangeant toutes les 10 minutes.

Dressage

Couper le nougat glacé en 4 tranches. Verser le caramel dans les assiettes de service, ajouter une tranche de nougat glacé et garnir de crumble à l'avoine et à la citrouille.

* Voir le tableau des substitutions à la page 25.

MIEL NATURE MIEL DE GLACE, HYDROMEL, 375 ML, CANADA (QUÉBEC), CODE SAQ 10990407, 20,45 $
Ce vin de miel à la gelée royale est élaboré dans la région de Beauharnois, en Montérégie, par l'un des plus importants producteurs canadiens d'hydromel. D'une jolie teinte dorée, il présente, au nez comme en bouche, des notes de pomme-poire et de miel. Délicieux avec des fromages ou même du foie gras, il sera très intéressant avec ce nougat glacé au miel. Servir bien frais, autour de 8 °C.

VERGER BILODEAU FASCINATION, MISTELLE DE POMME AROMATISÉE À L'ÉRABLE, 375 ML, CANADA (QUÉBEC), CODE SAQ 10201842, 15,35 $

La famille L'Heureux-Bilodeau est établie à Saint-Pierre, sur l'île d'Orléans, et elle est tricotée serré. Deux générations travaillent côte à côte au verger et au chai à élaborer d'excellents cidres et des mistelles. Aux alcools de pomme et de petits fruits s'ajoutent différents produits à la pomme. Cette mistelle est un régal, avec ses notes de pomme compotée, de caramel et d'érable. Excellent niveau d'acidité, bonne longueur en bouche, elle sera parfaite pour mettre en valeur ce dessert peu sucré. Servez-la bien froide, autour de 6 °C.

PAIN D'ÉPICES AUX POMMES ET AUX PANAIS, COMPOTE DE CANNEBERGES

4 PORTIONS

Compote de canneberges

90 g (1 tasse) de pommes coupées en dés

110 g (1 tasse) de canneberges coupées en deux

2 c. à soupe de miel

2 c. à soupe de gin de panais (Piger Henricus)

100 g (½ tasse) de sucre

1 c. à café de pectine

Mélange d'épices

1 c. à soupe de carvi sauvage*

1 c. à soupe de nard des pinèdes*

1 c. à café de poivre des dunes*

1 c. à café de fleur de mélilot*

Pain d'épices

200 g (½ tasse) de cassonade

150 ml (¾ tasse) d'huile de canola

3 œufs

200 g (1 ⅓ tasse) de farine

2 c. à café de mélange d'épices (voir recette ci-dessus)

1 c. à soupe de poudre à pâte (levure chimique)

100 g (1 ½ tasse) de panais râpés

90 g (1 tasse) de pommes pelées et coupées en dés

Crumble

90 g (1 tasse) de gros flocons d'avoine à cuisson rapide

125 ml (¼ tasse) de cassonade

2 c. à soupe de poudre de canneberges

1 pincée de sel

100 g (½ tasse) de beurre non salé fondu

75 g (½ tasse) de farine

Crème montée au miel

125 ml (½ tasse) de crème à fouetter 35 %

1 c. à soupe de miel

5 gouttes d'essence de fleur de mélilot*

Compote de canneberges

Dans un bol, mélanger les pommes, les canneberges, le miel et le gin. Couvrir et réfrigérer de 8 à 10 heures.

Au moment de préparer le pain d'épices, mélanger dans un petit bol le sucre et la pectine. Dans une casserole, à feu moyen, chauffer le mélange de pommes et la préparation de pectine jusqu'au point d'ébullition, tout en brassant fréquemment. Verser dans un bol et réfrigérer.

Mélange d'épices

Au moulin à café, moudre les épices ensemble, jusqu'à l'obtention d'une texture fine et uniforme.

Pain d'épices

Préchauffer le four à 180 °C (350 °F). Graisser et fariner un moule à pain de 8 cm x 15 cm (3 po x 6 po).

Dans un bol, à l'aide d'un fouet, mélanger la cassonade, l'huile et les œufs jusqu'à ce que le mélange soit homogène.

Dans un autre bol, mélanger la farine, les épices et la poudre à pâte. Ajouter le mélange sec au mélange liquide et remuer à l'aide d'une maryse jusqu'à homogénéité. Ajouter le panais et les pommes, et bien mélanger. Verser le mélange dans le moule préparé et cuire au four pendant 50 minutes.

Crumble

Préchauffer le four à 180 °C (350 °F). Couvrir une plaque de cuisson de papier sulfurisé.

Dans un bol, mélanger l'avoine, la cassonade, la poudre de canneberges, le sel et le beurre fondu. Ajouter la farine et mélanger délicatement. Verser le mélange sur la plaque préparée et cuire pendant 15 minutes, en mélangeant à mi-cuisson.

Crème montée au miel

Dans un bol, à l'aide d'un batteur électrique, monter la crème, le miel et l'essence de mélilot jusqu'à l'obtention de pics fermes.

Dressage

Servir le pain d'épices avec un peu de compote de canneberges, de crumble et de crème montée au miel.

* Voir le tableau des substitutions à la page 25.

HIVER

HIVER: GIBIERS, LÉGUMES-RACINES ET FROMAGES COULANTS

L'hiver fait partie de l'identité québécoise et, à plus forte raison, de l'identité boréale. Dans les cuisines de Chez Boulay, cela se traduit par une créativité renouvelée, qui s'appuie exclusivement sur des produits du terroir. Heureusement, le cellier de maraîchers amis regorge encore de trésors. Le chef Arnaud Marchand y puise betteraves, topinambours, radis noirs, différentes variétés de carottes et de pommes de terre, courges d'hiver, panais, racines de persil, rutabagas et salsifis.

La cuisine d'hiver est copieuse, gourmande et réconfortante. Si les fromages du Québec sont en vedette toute l'année sur la carte du bistro, ils occupent une place de choix pendant l'hiver, avec des fondues, des sauces et des plats gratinés savoureux. Arnaud Marchand travaille depuis le début avec la sympathique équipe de Plaisirs Gourmets, un distributeur de fromages artisanaux, ce qui lui donne accès à la production d'une vingtaine de fromageries, en plus de celles qui distribuent elles-mêmes leurs produits, comme la Maison d'affinage Maurice Dufour, la Laiterie Charlevoix et la Fromagerie des Grondines.

Et puis, il y a tous ces petits pots magiques qui renferment les saveurs de l'été et de l'automne : boutons de marguerite, asclépiades et cœurs de quenouille marinés du Gourmet sauvage, coulis, vinaigres, gelées et petits fruits provenant de différents complices. Enfin, une grande sélection d'épices boréales ajoute à la magie : poivre des dunes, graines de myrica, piment d'argile, myrique baumier, gingembre sauvage, etc. De quoi s'offrir tout le plaisir et le réconfort qu'il faut pour aimer l'hiver québécois !

L'hiver, pour Arnaud Marchand et Jean-Luc Boulay, c'est : une sortie familiale en raquette avec, au retour, du chocolat chaud aux parfums de la forêt boréale !

QUATRE PRODUCTEURS

Antoine Nicolas, un océan de saveurs

Antoine Nicolas a su développer un marché de niche original : celui des algues comestibles (wakame atlantique, laminaire sucrée, main-de-mer palmée, laitue de mer, fucus, laminaire digitée). Le jeune homme, qui habite Cap-aux-Os, en Gaspésie, plonge en apnée d'avril à décembre, selon les conditions climatiques et la disponibilité de la ressource, afin de récolter des algues, qu'il livre ensuite par autocar partout au Québec à des chefs et à des particuliers. Ses produits sont aussi offerts dans certaines poissonneries, fraîches ou en version séchée. L'intérêt pour les algues s'est répandu au Québec avec l'engouement pour les sushis. Ces plantes marines sont riches en iode, en fibres, en antioxydants et en divers oligo-éléments. Consommées fraîches, elles sont considérées comme un légume et séchées, comme un condiment. Arnaud Marchand a fait la connaissance d'Antoine Nicolas après avoir lu un article sur le potentiel culinaire des algues qui a piqué sa curiosité. « Nous travaillons beaucoup avec Antoine, qui a à la fois la fibre entrepreneuriale très développée et un grand souci de préserver l'environnement marin. Il nous livre des algues d'une fraîcheur exceptionnelle dans un délai très rapide. Nous achetons aussi ses algues séchées », dit-il. Antoine Nicolas souhaite aussi contribuer à la mise en valeur des produits marins gaspésiens pour le Québec.

Lucie Mainguy, Aliksir, herboristerie gastronomique

Tandis que les chefs européens s'amusent à créer des plats à base d'huiles essentielles de basilic ou de romarin, Lucie Mainguy, de l'herboristerie Aliksir, dans la municipalité de Portneuf, innove depuis plusieurs années avec sa gamme d'huiles essentielles qui emprisonnent les parfums et les saveurs d'épices propres à la forêt boréale. Ses huiles essentielles de la marque Les arômes de Saba sont une aide précieuse pour les cuisiniers professionnels ou du dimanche, puisqu'elles concentrent dans un format pratique des parfums uniques, difficiles à obtenir autrement. Si la gamme comprend des huiles essentielles de plantes de partout, comme le citron, le fenouil ou la cannelle, le menu des huiles essentielles gastronomiques boréales d'Aliksir est riche et varié : comptonie voyageuse, livèche, mélisse officinale, menthe poivrée, monarde, myrique baumier,

1. Plante couverte de givre.

2. Récolte d'algues.

3. L'herboristerie Aliksir utilise des herbes au summum de leur fraîcheur pour préparer ses assortiments d'huiles essentielles gastronomiques. Il suffit de quelques gouttes pour parfumer un plat.

4. Scène d'hiver dans la forêt boréale.

1.

2.

3.

4.

1.
2.
3.
4.

peuplier baumier, thé des bois, thé du Labrador. Il suffit de quelques gouttes pour parfumer une préparation (potage, sauce, vinaigrette, préparation aux fruits) et lui donner une signature tout à fait originale. Lucie Mainguy, qui a fondé Aliksir en 1988 avec son mari Pierre Mainguy (aujourd'hui disparu), continue de donner des conférences et de former la relève des herboristes, pendant que sa fille Estelle travaille à ses côtés, entourée d'une petite équipe de passionnés.

Morille Québec : chouette, des champignons sauvages à l'année !

Chez Boulay, les champignons constituent l'un des ingrédients clés de la cuisine d'inspiration nordique d'Arnaud Marchand. C'est pourquoi il a développé une solide complicité avec différents fournisseurs, dont Simon-Pierre Murdock ; son entreprise, Morille Québec, est bien implantée dans le marché, et ce, depuis 2005. Créée avec le désir de diversifier la production de l'industrie forestière du Saguenay–Lac-Saint-Jean, Morille Québec a su créer un large réseau de cueilleurs parfaitement formés, afin de pouvoir offrir une bonne sélection de champignons sauvages à sa clientèle. Le choix est vaste et provient en majorité des forêts québécoises, sauf pour certaines variétés (tels les shiitakes), dont une partie est cueillie ailleurs au pays, faute de stocks suffisants sur notre territoire. Outre les morilles, chanterelles, trompettes de la mort, bolets, champignons crabes, pleurotes, matsutakes et shiitakes, Morille Québec crée aussi ses propres mélanges forestiers. On les trouve facilement dans les boutiques gourmets ou en ligne. L'inventaire comprend également des champignons congelés et surgelés, très utiles dans les cuisines professionnelles. Morille Québec distribue aussi certains produits de niche, comme les sauces à tartares et les mélanges d'épices boréales créées par Arnaud Marchand, qui permettent de donner une saveur unique à ses viandes, volailles et poissons en toute simplicité.

Ferme Orléans, pour une oie bien charnue

Si Arnaud Marchand et Jean-Luc Boulay aiment bien créer durant l'automne et l'hiver des recettes qui mettent l'oie en vedette, encore leur faut-il trouver un producteur de confiance avec qui travailler, qui est en mesure de leur fournir la qualité et les volumes nécessaires à un bistro populaire comme Chez Boulay. C'est le cas de la Ferme Orléans, située à Saint-Laurent, qui se spécialise dans l'élevage et la distribution de volaille. Cette entreprise a pris la relève de l'éleveur de Stoneham Julien Dupont auprès des chefs, lorsque celui-ci a pris sa retraite. La confiance s'est installée facilement avec la Ferme Orléans, car Richard Poissenot et Pascale Lauzière connaissent leur métier. Depuis 1973, ils produisent cailles, perdrix, canards, faisans, poulets et oies pour une clientèle de détail et de restaurateurs sur leur ferme de quatrième génération, fondée en 1935. Ils commercialisent aussi le coquelet, la dinde, le lièvre et le lapin. Les volailles sont nourries avec une moulée élaborée par les éleveurs eux-mêmes, sans antibiotiques, farines ni gras d'origine animale, qui utilisent, dans la plus grande proportion possible, les grains produits sur la ferme familiale. L'abattage est fait sur place, ce qui garantit une qualité, une traçabilité et une fraîcheur optimales.

1. Transparence de neige.

2. La cueillette de champignons sauvages gagne en popularité au Québec, mais elle demande un apprentissage auprès de mycologues chevronnés.

3. À la Ferme Orléans, Pascale Lauzière et Richard Poissenot élèvent des oies et toutes sortes de volailles depuis 1973. Ici, en discussion avec Arnaud Marchand.

4. Scène d'hiver en forêt.

GAUFRES DE POMMES DE TERRE AUX HERBES SALÉES, SAUMON FUMÉ, JEUNES ÉPINARDS, ŒUFS POCHÉS ET CRÈME SURE AUX ALGUES

4 PORTIONS (4 grosses gaufres)

Gaufres

650 g (1 ½ lb) de pommes de terre Yukon Gold pelées et râpées

250 g (8 oz) de fromage à la crème (du Québec, de préférence)

2 c. à soupe de beurre

4 œufs

85 g (¾ tasse) de farine

4 c. à soupe de ciboulette hachée

1 c. à soupe d'herbes salées du Bas-du-Fleuve

Sel et poivre, au goût

Crème sure aux algues

250 ml (1 tasse) de crème sure

4 c. à soupe de yogourt nature

1 c. à café de ciboulette hachée

2 c. à café de poudre d'algues* (voir ▶) (facultatif)

2 c. à soupe de vinaigre de cidre

Dressage

500 ml (2 tasses) de jeunes épinards

300 g (10 oz) de tranches de saumon fumé

4 œufs pochés

Gaufres

Préchauffer le gaufrier à intensité moyenne-élevée.

Dans un bol, à l'aide d'un fouet, mélanger tous les ingrédients. Remplir le gaufrier en utilisant 200 ml (¾ tasse) du mélange pour chaque gaufre. Cuire 5 minutes ou jusqu'à l'obtention de gaufres bien dorées. Réserver au chaud.

Crème sure aux algues

Dans un petit bol, au fouet, mélanger tous les ingrédients.

Dressage

Disposer les jeunes épinards sur les gaufres, puis le saumon fumé. Déposer ensuite un œuf poché sur chacune et poivrer légèrement. Ajouter un peu de crème sure aux algues à côté et servir.

▶ La poudre d'algues apporte une note iodée à ce plat. Vous pouvez la préparer vous-même en réduisant en poudre au mélangeur des algues séchées. Il existe sur le marché des algues séchées en poudre provenant du Québec (voir « Nos bonnes adresses », page 25).

* Voir le tableau de substitutions à la page 25.

À BOIRE !

MISSION HILL FAMILY ESTATE, PINOT GRIS RÉSERVE 2014, CANADA (OKANAGAN VALLEY), VIN BLANC, CODE SAQ 12545008, 22,10 $
Mission Hill est un magnifique domaine dont les vins ont été les premiers crus canadiens à remporter des médailles d'or dans de prestigieuses compétitions internationales, en 1994. On raffole de ce pinot gris, qui fait preuve d'une incroyable polyvalence à table ! Le nez est légèrement épicé, avec des notes de pêche et de fleur blanche. En bouche, on retrouve la pêche et la vivifiante acidité du pamplemousse, équilibrées par une agréable touche de gingembre. Un régal ! Servir à 10 °C.

JAMBON BRAISÉ À LA BIÈRE BLANCHE, SIROP DE BOULEAU, LÉGUMES-RACINES RÔTIS ET RÖSTIS DE POMME DE TERRE

4 PORTIONS

Jambon

1 jambon sur l'os d'environ 1,2 kg (2 ½ lb)

2 oignons hachés

2 c. à soupe d'huile de canola

250 ml (1 tasse) de bière blanche

250 ml (1 tasse) d'eau

500 ml (2 tasses) de fond de veau (du commerce)

160 ml (⅔ tasse) de sirop de bouleau (ou 5 c. à soupe de mélasse)

4 branches de thym

2 feuilles de laurier

Légumes-racines rôtis

4 panais coupés en bâtonnets

2 carottes coupées en bâtonnets

4 betteraves rouges coupées en gros dés

4 c. à soupe d'huile de canola

Sel et poivre

Röstis de pomme de terre

600 g (20 oz) de pommes de terre pelées et râpées

3 ciboules (oignons verts) hachées finement

2 c. à soupe d'huile de canola (pour la cuisson)

Jambon

Préchauffer le four à 135 °C (275 °F).

À l'aide d'un couteau bien aiguisé, pratiquer de fines incisions quadrillées dans le gras du jambon. Déposer dans un faitout muni d'un couvercle.

Dans une poêle, à feu moyen, faire revenir les oignons dans l'huile pendant 5 minutes.

Dans un bol, mélanger le reste des ingrédients et verser sur le jambon. Couvrir et cuire 2 heures, en arrosant souvent en cours de cuisson.

Récupérer le jus de cuisson, passer au tamis et verser dans une petite casserole. Faire réduire de moitié à feu moyen-vif. Arroser le jambon avec la sauce ainsi obtenue.

Légumes-racines rôtis

Préchauffer le four à 190 °C (375 °F).

Mélanger les panais, les carottes et les betteraves avec l'huile, saler et poivrer au goût. Disposer sur une plaque de cuisson recouverte de papier sulfurisé. Cuire de 20 à 25 minutes ou jusqu'à tendreté. Disposer autour du jambon cuit.

Röstis

Préchauffer le four à 180 °C (350 °F).

Dans un bol, mélanger les pommes de terre avec les ciboules, saler et poivrer au goût, puis presser fermement, pour bien égoutter. Former des galettes de 8 cm (3 po). Dans une poêle antiadhésive, à feu moyen, chauffer l'huile et faire colorer les röstis des deux côtés. Placer ensuite sur une plaque de cuisson recouverte de papier sulfurisé et terminer la cuisson au four, de 5 à 8 minutes. Servir avec le jambon et les légumes rôtis.

À BOIRE !

CIDRERIE VERGER BILODEAU, SYMPHONIE CIDRE MOUSSEUX, CANADA (QUÉBEC), 750 ML, CODE SAQ 12761659, 16,30 $

Depuis près de 25 ans, Benoît Bilodeau et Micheline L'Heureux préparent des cidres, mistelles et autres produits à base de différentes variétés de pommes et de petits fruits de l'île d'Orléans. Depuis quelques années, la relève est solide : leur fils Claude et leur belle-fille Sandra Ouellet poursuivent en effet la tradition d'excellence. Ce cidre effervescent et demi-sec, idéal pour un brunch, avec ses bulles fines et ses notes de pomme mûre, convient particulièrement bien au jambon.

BONBONS D'AGNEAU AU POIVRE DES DUNES, SALADE D'ORGE AUX HERBES ET MAYONNAISE À LA SARRIETTE

4 PORTIONS EN ENTRÉE (12 bonbons)

Salade d'orge

4 c. à soupe d'oignon blanc haché finement

2 c. à soupe d'huile de canola

125 g (¾ tasse) d'orge mondé (voir ▶), bien rincé

500 ml (2 tasses) de bouillon de légumes

1 branche de thym

125 ml (½ tasse) de mayonnaise (maison, de préférence)

1 c. à soupe de sarriette

2 c. à soupe d'eau

1 ciboule (oignon vert) hachée finement

2 tiges de ciboulette hachées

2 branches de persil hachées

4 c. à soupe de feuilles de cœur de céleri + 1 c. à soupe pour garnir

Sel et poivre

Bonbons d'agneau

1 souris d'agneau (jarret)

80 ml (⅓ tasse) d'huile de canola

1 carotte coupée en petits dés

1 branche de céleri coupée en petits dés

1 oignon coupé en petits dés

3 gousses d'ail hachées

250 ml (1 tasse) de vin rouge

500 ml (2 tasses) de fond de veau (du commerce)

500 ml (2 tasses) d'eau froide

4 branches de thym

2 feuilles de laurier

1 ciboule (oignon vert) hachée

1 c. à café comble de poivre des dunes (ou de poivre noir)

Huile à friture

60 g (½ tasse) de farine

1 œuf battu

60 g (½ tasse + 1 c. à soupe) de chapelure

Salade d'orge

Dans une casserole, à feu moyen, faire suer l'oignon dans l'huile pendant 1 minute. Ajouter l'orge et cuire pendant 3 minutes. Ajouter le bouillon et le thym, couvrir et laisser mijoter de 20 à 25 minutes ou jusqu'à ce que le liquide soit absorbé et l'orge cuit. Retirer le thym et réserver l'orge au réfrigérateur.

Dans un petit bol, mélanger la mayonnaise et la sarriette. Dans un autre bol, mélanger 2 c. à soupe de cette mayonnaise avec l'eau et ajouter à l'orge, avec la ciboule, la ciboulette, le persil et les feuilles de cœur de céleri, en guise de vinaigrette. Saler et poivrer au goût. Réserver la salade et le reste de la mayonnaise au réfrigérateur.

Bonbons d'agneau

Préchauffer le four à 150 °C (300 °F).

Dans un faitout, à feu moyen-vif, faire revenir la souris d'agneau dans l'huile jusqu'à ce qu'elle soit bien colorée de chaque côté. Retirer du feu et réserver.

Dans le même faitout, à feu moyen, faire revenir la carotte, le céleri, l'oignon et l'ail pendant 10 minutes. Déglacer avec le vin rouge et laisser réduire de moitié. Ajouter le fond de veau, l'eau, le thym et le laurier, puis porter de nouveau à ébullition. Remettre l'agneau dans le faitout et cuire au four, à couvert, pendant 2 heures ou jusqu'à ce que la viande se détache de l'os à la fourchette.

Retirer l'agneau du faitout et faire réduire les jus de cuisson à feu moyen jusqu'à consistance sirupeuse. Filtrer dans une passoire.

Effilocher la viande et mélanger avec 3 à 4 c. à soupe du jus de cuisson réduit. Ajouter la ciboule et le poivre des dunes. Avec la viande, former des boulettes bien rondes de la taille d'une balle de golf et mettre au congélateur environ 15 minutes pour les faire durcir.

Préchauffer l'huile d'une friteuse ou d'une casserole à haut rebord à 180 °C (350 °F). Paner les bonbons à l'anglaise en les roulant dans la farine, puis dans l'œuf battu et enfin dans la chapelure. Répéter l'opération et frire, quelques bonbons à la fois, de 3 à 4 minutes. Égoutter sur des essuie-tout.

Servir les bonbons garnis de feuilles de cœur de céleri, avec la mayonnaise à la sarriette et la salade d'orge.

▶ L'orge mondé est de l'orge entier, dont l'enveloppe extérieure n'a pas été retirée, contrairement à l'orge perlé. Il est plus savoureux et plus nutritif. On le trouve en épicerie et dans les magasins d'alimentation naturelle.

CHARTIER CRÉATEUR D'HARMONIES, TOSCANA ROSSO, VIN ROUGE, ITALIE (TOSCANE), CODE SAQ 12068109, 20,10 $
Après avoir constaté que les vins et les aliments ont souvent un profil aromatique similaire, qui permet de les accorder plus facilement en cuisine, le sommelier québécois François Chartier s'est mis à explorer la piste aromatique. Son ouvrage *Papilles et Molécules* est un succès mondial, qui l'a conduit à créer sa propre gamme de vins destinés à la table. Celui-ci est élaboré en bonne partie avec le cépage sangiovese, avec une pointe de merlot, pour plus de rondeur. Réglisse, cerise et arômes boisés font de ce rouge corsé un partenaire idéal de l'agneau.

CROQUETTES DE SABOT DE BLANCHETTE SUR MÂCHE, GRAINES DE CITROUILLE ET BETTERAVES AU SIROP DE MERISIER ET HUILE DE CAMÉLINE

4 PORTIONS

Betteraves et mâche

2 betteraves jaunes moyennes, non pelées

2 betteraves rouges moyennes, non pelées

4 tasses de mâche

60 g (½ tasse) de graines de citrouille rôties

Vinaigrette

4 c. à soupe de vinaigre de cidre

2 c. à soupe de sirop de merisier*

2 c. à soupe d'huile de caméline (ou de canola)

Sel et poivre

Croquettes

Huile à friture

2 fromages de chèvre Sabot de Blanchette de 300 g (10 oz) (ou autre pâte molle)

60 g (½ tasse) de farine

3 œufs battus

60 g (½ tasse + 1 c. à soupe) de chapelure

Betteraves

Préchauffer le four à 180 °C (350 °F).

Emballer chaque betterave dans une feuille de papier d'aluminium et cuire au four de 1 heure 30 à 2 heures ou jusqu'à ce que la pointe d'un couteau s'y insère facilement. Laisser refroidir, enlever le papier d'aluminium et peler. Couper en petits quartiers et réserver.

Vinaigrette

À l'aide d'un fouet, mélanger le vinaigre et le sirop de merisier. Saler et poivrer au goût. Sans cesser de fouetter, ajouter l'huile de caméline. Verser la moitié de la vinaigrette sur les betteraves et mélanger. Réserver le reste de la vinaigrette.

Croquettes

Préchauffer l'huile d'une friteuse ou d'une casserole à haut rebord à 180 °C (350 °F). Couper chaque fromage en 6 morceaux de même grosseur. Dans trois petits bols, verser la farine, les œufs battus et la chapelure. Paner à l'anglaise en roulant les morceaux de fromage dans la farine, puis dans les œufs et ensuite dans la chapelure. Répéter l'opération. Frire de 2 à 3 minutes ou jusqu'à ce que les croquettes soient bien dorées. Réserver sur des essuie-tout.

Dressage

Répartir la mâche dans quatre assiettes, ajouter les croquettes de fromage, les betteraves et le reste de la vinaigrette. Garnir de graines de citrouille et servir.

* Voir le tableau de substitutions à la page 25.

À BOIRE !

L'ORPAILLEUR RÉSERVE 2012, VIN BLANC CANADA (QUÉBEC), CODE SAQ 12685553, 19,10 $
Contrairement aux idées reçues, avec le fromage, certains vins blancs gras sont de loin meilleurs que les rouges, car leur structure boisée et grasse vient soutenir le fromage, tout en y apportant une agréable fraîcheur, tandis que les tanins des vins rouges sont souvent exacerbés par le gras du fromage. Ici, on obtient un mariage parfait : avec ses notes de pêche et de fleur blanche, complétées par le côté boisé d'un court séjour en fût de chêne, ce vin de l'un des domaines vinicoles les plus réputés du Québec s'accorde à merveille avec la pâte légèrement aigrelette du chèvre et avec le fondant sucré des betteraves.

RILLETTES DE MAQUEREAU AU CARVI SAUVAGE, GALETTES DE BANIQUE ET SALADE DE CHOU

4 PORTIONS

Rillettes de maquereau

230 g (8 oz) de filets de maquereau, parés (environ 4)

250 ml (1 tasse) de gras de canard fondu

1 c. à café de moutarde de Dijon

¼ c. à café de carvi sauvage* (ou standard)

4 tiges de ciboulette hachées

Sel et poivre

Galettes de banique (voir ▷)

125 ml (½ tasse) de lait

2 c. à soupe de gras de canard fondu

190 g (1 ½ tasse) de farine

65 g (½ tasse) de farine de maïs

1 c. à soupe de sucre

2 c. à café de poudre à pâte (levure chimique)

1 pincée de sel

4 c. à soupe de canneberges séchées

Salade de chou

2 c. à soupe de vinaigre de cidre

1 c. à soupe de moutarde de Dijon

2 c. à soupe d'huile de canola

2 c. à soupe de crème sure

¼ c. à café de carvi sauvage*

300 g (3 ½ tasses) de chou émincé finement

4 c. à soupe de canneberges séchées

2 ciboules (oignons verts) hachées finement

Rillettes de maquereau

Préchauffer le four à 95 °C (200 °F).

Couper le maquereau en morceaux de 5 cm (2 po) et mettre dans un faitout allant au four. Verser le gras de canard fondu sur le maquereau. Placer au four et confire de 30 à 45 minutes ou jusqu'à ce que le poisson soit floconneux. Retirer le poisson du gras de canard et émietter dans un bol, en prenant soin de conserver de petits morceaux, pour une meilleure texture. Réserver.

Dans un bol, mélanger la moutarde, le carvi sauvage et la ciboulette. Saler et poivrer au goût et ajouter au poisson en remuant délicatement. Au besoin, ajouter un peu du gras de canard ayant servi à confire le maquereau pour assouplir les rillettes. Verser dans des ramequins, couvrir et réfrigérer au moins 2 heures.

Galettes de banique

Préchauffer le four à 190 °C (375 °F).

Dans un bol, mélanger le lait et le gras de canard. Dans un autre bol, mélanger les farines, le sucre, la poudre à pâte, le sel et les canneberges, et incorporer au premier mélange en pliant. Ne pas trop mélanger. À l'aide d'une cuillère à crème glacée de 140 g (5 oz), préparer des boules de pâte et les déposer sur une plaque de cuisson recouverte de papier sulfurisé, à 5 cm (2 po) de distance les unes des autres. Aplatir légèrement avec la main. Cuire au four pendant 15 minutes ou jusqu'à ce qu'un cure-dent inséré au centre d'une galette en ressorte sec.

Salade de chou

Dans un grand bol, mélanger au fouet le vinaigre, la moutarde, l'huile, la crème sure et le carvi. Saler et poivrer au goût. Ajouter le chou émincé, les canneberges et les ciboules. Bien mélanger et laisser mariner au moins 30 minutes au réfrigérateur.

Servir les rillettes avec les galettes de banique et la salade de chou.

▷ La banique est un pain plat sans levure issu de la tradition autochtone. Facile à faire, elle se conserve aisément.

* Voir le tableau de substitutions à la page 25.

SALADE DE TOPINAMBOURS ET DE POMMES DE TERRE AU BACON DE SANGLIER, ENDIVES VINAIGRETTE ET SAUCE À L'ÉCHALOTE

4 PORTIONS

Sauce à l'échalote

2 c. à soupe d'échalote hachée finement

1 c. à soupe de moutarde de Dijon

2 c. à soupe de vinaigre de vin rouge

3 c. à soupe d'huile de canola

2 c. à soupe de mayonnaise (maison, de préférence)

Sel et poivre

Salade de topinambours et de pommes de terre

500 g (2 tasses environ) de topinambours non pelés, coupés en petits cubes

4 pommes de terre moyennes, pelées et coupées en petits cubes

3 c. à soupe d'huile de canola

125 g (4 oz) de bacon de sanglier coupé en dés (ou de bacon standard)

2 branches de persil hachées finement

1 c. à soupe de boutons de marguerite* (ou de cornichons hachés) + quelques-uns pour garnir

Endives vinaigrette

4 c. à soupe d'huile de canola

2 c. à soupe de vinaigre de vin rouge

1 c. à soupe de fond de veau (du commerce)

2 endives

Sauce à l'échalote

Dans un bol, au mélangeur à main, mixer les échalotes, la moutarde, le vinaigre, du sel et du poivre, au goût. Incorporer graduellement l'huile en un mince filet pour émulsionner. Ajouter la mayonnaise et émulsionner. Réserver 2 c. à soupe de la sauce pour le dressage.

Salade de topinambours et de pommes de terre

Préchauffer le four à 180 °C (350 °F).

Dans un bol, mélanger les topinambours et les pommes de terre avec l'huile. Déposer sur une plaque de cuisson recouverte de papier sulfurisé et rôtir au four de 15 à 20 minutes ou jusqu'à ce que les légumes soient cuits. Réserver.

Entre-temps, dans une poêle, cuire le bacon à feu moyen, jusqu'à l'obtention de lardons rôtis. Égoutter sur des essuie-tout.

Mélanger la sauce à l'échalote avec les topinambours et les pommes de terre. Ajouter les lardons, le persil et les boutons de marguerite. Saler et poivrer au goût.

Endives vinaigrette

Dans un bol, mélanger l'huile, le vinaigre et le fond de veau, saler et poivrer au goût. Émincer les endives et les mélanger à cette vinaigrette. Répartir les endives dans quatre bols ou dans une assiette de service, puis ajouter la salade de topinambours et de pommes de terre. Ajouter quelques boutons de marguerite pour garnir et les 2 c. à soupe de sauce à l'échalote réservée. Servir.

* Voir le tableau de substitutions à la page 25.

À BOIRE !

DOMAINE LES BROME RÉSERVE ST-PÉPIN 2012, VIN BLANC, CANADA (QUÉBEC), CODE SAQ 10919723, 29,95 $
Léon Courville et Anne-Marie Lemire ont entrepris une seconde carrière en mettant sur pied ce magnifique vignoble qui offre une vue spectaculaire des montagnes des Cantons-de-l'Est et qui descend en pente douce jusqu'au lac Brome. Ils cultivent 80 000 plants de vigne provenant de 12 cépages, dont le st-pépin, réputé pour sa résistance à nos hivers et auquel ils ont donné le nom de ce vin d'une belle teinte dorée. Bien gras, fruité, avec un nez envoûtant de miel et de fleur blanche, il a une bonne tenue qui sera mise en valeur par cette salade.

POTAGE DE CAROTTES AU GINGEMBRE SAUVAGE ET PESTO DE BOLETS AUX GRAINES DE TOURNESOL

4 PORTIONS

Potage de carottes

1 c. à soupe d'huile de canola

500 g (4 ½ tasses) de carottes coupées en dés

4 c. à soupe de céleri coupé en dés

4 c. à soupe de pommes de terre pelées et coupées en dés

1 petit oignon coupé en dés

1 gousse d'ail émincée

1 litre (4 tasses) de bouillon de volaille (ou de légumes)

1 c. à café de gingembre sauvage* (ou de gingembre standard)

Sel et poivre, au goût

Pesto de bolets aux graines de tournesol

125 g (4 oz) de graines de tournesol écalées

125 g (4 oz) de bolets séchés

1 échalote hachée finement

3 c. à soupe d'huile de canola + 125 ml (½ tasse)

250 ml (1 tasse) d'eau

4 c. à soupe de persil haché

3 gousses d'ail hachées finement

2 échalotes

Potage de carottes

Dans une casserole, chauffer l'huile à feu moyen-doux. Ajouter les carottes, le céleri, la pomme de terre, l'oignon et l'ail, et faire suer pendant 10 minutes. Ajouter le bouillon et le gingembre, saler et poivrer au goût et porter à ébullition. Réduire à feu doux et laisser mijoter de 30 à 45 minutes ou jusqu'à ce que les légumes soient très tendres.

Passer au mélangeur jusqu'à l'obtention d'une texture lisse. Passer au tamis, si désiré, et rectifier l'assaisonnement, au besoin. Réserver.

Pesto de bolets

Préchauffer le four à 180 °C (350 °F).

Placer les graines de tournesol sur une plaque de cuisson recouverte de papier sulfurisé et faire griller au four pendant 5 minutes. Laisser refroidir et réserver 2 c. à soupe pour la garniture.

Dans une poêle, à feu doux, faire sauter les champignons et l'échalote dans 2 c. à soupe d'huile de canola pendant 2 minutes. Déglacer avec l'eau et, à feu moyen-vif, laisser réduire à sec. Laisser refroidir.

Mettre les graines de tournesol, le mélange de champignons, le persil, l'ail et 125 ml (½ tasse) d'huile de canola dans le bol du robot culinaire et mélanger jusqu'à l'obtention d'une pâte grossière. Ajouter un peu d'eau, si nécessaire. Rectifier l'assaisonnement au besoin et réserver.

Dans une poêle, à feu moyen-doux, faire caraméliser les échalotes dans 1 c. à soupe d'huile pendant environ 10 minutes.

Verser le potage dans des bols chauds. Garnir avec les échalotes caramélisées et les graines de tournesol réservées. Servir.

* Voir le tableau de substitutions à la page 25.

SOUPE-REPAS AU CHOU,
À LA POMME DE TERRE ET À LA MONARDE,
SAUCISSES GRILLÉES ET MOUILLETTES

4 PORTIONS

Mouillettes

½ baguette coupée en mouillettes

2 c. à soupe d'huile de canola

Soupe-repas

2 c. à soupe d'huile de canola

150 g (5 oz) de bacon coupé en dés

2 oignons moyens hachés

285 g (3 ½ tasses) de chou vert émincé

2 gousses d'ail hachées

1,5 litre (6 tasses) de bouillon de légumes

250 g (1 ¾ tasse) de pommes de terre coupées en cubes

½ c. à soupe de sel

1 pincée de poivre

5 gouttes d'huile essentielle de monarde (ou 2 branches de thym hachées finement)

Garniture

4 saucisses de gibier

Mouillettes

Préchauffer le four à 180 °C (350 °F).

Déposer les mouillettes de pain sur une plaque de cuisson recouverte de papier sulfurisé. À l'aide d'un pinceau, badigeonner avec l'huile. Rôtir au four de 6 à 8 minutes.

Soupe-repas

Dans un faitout, chauffer l'huile à feu moyen. Ajouter le bacon et cuire de 5 à 8 minutes. Ajouter les oignons, le chou et l'ail et poursuivre la cuisson pendant 5 minutes. Mouiller avec le bouillon, ajouter les pommes de terre, le sel et le poivre et porter à ébullition, puis réduire à feu doux et laisser mijoter 20 minutes ou jusqu'à tendreté. Rectifier l'assaisonnement au besoin et ajouter l'huile essentielle de monarde.

Garniture

Entre-temps, dans une poêle, à feu moyen, griller les saucisses de 12 à 15 minutes sur toutes leurs faces. Retirer du feu et réserver au chaud.

Dressage

Répartir la soupe dans quatre bols et déposer 1 saucisse dans chaque bol. Servir avec les mouillettes.

À BOIRE !

DOMAINE AGNÈS PAQUET, BOURGOGNE PINOT NOIR, VIN ROUGE, FRANCE (BOURGOGNE), CODE SAQ 11510268, 24,45 $
Avec cette soupe réconfortante d'inspiration paysanne, il faut un vin aux tanins souples et généreux en notes fruitées pour bien accompagner la saucisse et les lardons. Ce pinot noir d'une vigneronne d'exception est un petit bijou qui convient à merveille aux plats dans lesquels le porc et les légumes sont à l'honneur. Très jeune, il est vif, bien souple, avec d'agréables notes de framboise et de cannelle. Un régal, à servir à 16 °C.

FISH AND CHIPS À LA BIÈRE BLONDE, SAUCE AU RAIFORT SAUVAGE

4 PORTIONS

Sauce au raifort sauvage

2 œufs durs hachés finement

2 c. à soupe de raifort sauvage*
(ou 3 gouttes d'huile essentielle
de raifort Aliksir)

1 c. à soupe de cœurs de quenouille*
hachés finement

1 gousse d'ail hachée très finement

½ c. à soupe de vinaigre de vin blanc

1 c. à soupe d'eau

85 ml (⅓ tasse) d'huile de canola

Sel et poivre, au goût

Chips maison

Huile à friture

2 pommes de terre tranchées
finement à la mandoline

2 c. à soupe d'épices à viande
blanche Arnaud Marchand
(voir « Nos bonnes adresses », page 25)

Poisson pané

Huile à friture

160 g (1 ⅓ tasse) de farine tout usage
+ 100 g (¾ tasse)

4 c. à soupe de fécule de maïs

½ c. à café de nard des pinèdes*

1 c. à café de poudre à pâte
(levure chimique)

1 œuf

200 ml (6 oz) de bière blonde Boréale

1 c. à soupe de vodka québécoise

4 filets d'aiglefin de 150 g (5 oz)
chacun, coupés en deux sur la longueur

Sauce au raifort sauvage

Dans un bol, à la cuillère, mélanger les œufs durs, le raifort, les cœurs de quenouille, l'ail, le vinaigre, l'eau, du sel et du poivre au goût jusqu'à l'obtention d'une pâte presque lisse (il restera des morceaux d'œuf). À l'aide d'un fouet, incorporer graduellement l'huile en filet et émulsionner. Rectifier l'assaisonnement au besoin.

Chips maison

Dans une friteuse ou une casserole à haut rebord, chauffer l'huile à 150 °C (300 °F). Plonger les pommes de terre dans l'huile, en plusieurs fois, et cuire de 3 à 5 minutes ou jusqu'à ce qu'elles soient bien dorées. Égoutter sur une grille ou des essuie-tout, assaisonner avec les épices à viande blanche et réserver.

Poisson pané

Dans une friteuse ou une casserole à haut rebord, chauffer l'huile à 160 °C (325 °F).

Dans un bol, mélanger 160 g (1 ⅓ tasse) de farine, la fécule de maïs, le nard des pinèdes et la poudre à pâte. Faire un puits au centre des ingrédients secs et ajouter l'œuf. À l'aide d'un fouet, commencer à mélanger, puis ajouter la bière graduellement, et enfin la vodka, tout en fouettant.

Déposer 100 g (¾ tasse) de farine dans une assiette. Saler et poivrer les filets d'aiglefin, les enrober de farine et secouer pour enlever l'excédent. Plonger les filets un à un dans la pâte à frire, puis les déposer dans la friteuse, en secouant le panier pour s'assurer qu'ils ne s'agglutinent pas. Frire pendant 5 minutes ou jusqu'à ce que le poisson soit doré et croustillant. Égoutter sur des essuie-tout et servir avec la sauce au raifort et les chips.

* Voir le tableau de substitutions à la page 25.

PAVÉS DE MORUE, SAUCE VIERGE À L'ARGOUSIER, COURGE RÔTIE ET RISOTTO D'ÉPEAUTRE

4 PORTIONS

Sauce vierge à l'argousier

65 g (½ tasse) de baies d'argousier*

4 c. à soupe de courge musquée (butternut) coupée en brunoise

4 c. à soupe de céleri coupé en dés

3 c. à soupe d'échalote hachée finement

1 c. à soupe de persil haché finement

4 tiges de ciboulette hachées finement

4 c. à soupe de vinaigre de cidre

125 ml (½ tasse) d'huile de canola vierge

Sel et poivre

Courge rôtie

500 g (1 lb) de courge musquée (butternut) coupée en gros cubes

2 c. à soupe d'huile de canola

Risotto d'épeautre

240 g (1 ⅓ tasse) d'épeautre, trempé pendant 24 heures et égoutté

1 litre (4 tasses) d'eau + 125 ml (½ tasse) au besoin

2 branches de thym

2 feuilles de laurier

125 g (¾ tasse) d'oignon blanc coupé en brunoise

2 c. à soupe d'huile de canola

125 ml (½ tasse) de vin blanc

125 ml (½ tasse) de crème à cuisson 35 %

3 c. à soupe de tomme de brebis râpée

2 ciboules (oignons verts) hachées finement

Pavés de morue

4 pavés de morue de 170 g (6 oz) chacun

2 c. à soupe d'huile de canola

2 c. à soupe de beurre

2 gousses d'ail entières, avec la pelure

2 branches de thym hachées finement

Sauce vierge à l'argousier

Mélanger tous les ingrédients et saler et poivrer au goût. Réserver.

Courge rôtie

Préchauffer le four à 210 °C (425 °F).

Mélanger la courge avec l'huile, saler et poivrer au goût. Déposer sur une plaque de cuisson recouverte de papier sulfurisé et rôtir au four de 8 à 10 minutes.

Risotto d'épeautre

Dans une casserole, mélanger l'épeautre avec 1 litre (4 tasses) d'eau, le thym et le laurier. Porter à ébullition à feu vif, couvrir, réduire le feu et laisser mijoter de 45 à 60 minutes ou jusqu'à l'obtention d'une cuisson al dente. Égoutter et réfrigérer.

Juste avant de servir, dans une poêle, à feu moyen, faire suer l'oignon dans l'huile pendant 3 minutes. Ajouter l'épeautre et faire sauter pendant 3 minutes. Augmenter le feu à moyen-vif, déglacer avec le vin blanc et laisser réduire à sec. Ajouter la crème, le fromage et un peu d'eau (jusqu'à 125 ml/½ tasse), au besoin, pour rendre le risotto plus crémeux. Saler et poivrer au goût. Réserver au chaud.

Pavés de morue

Saler et poivrer le poisson. Dans une poêle, à feu vif, chauffer l'huile. Ajouter le beurre, faire mousser, puis ajouter le poisson, avec l'ail et le thym. Saisir le poisson 3 à 4 minutes de chaque côté ou jusqu'à l'obtention d'une belle coloration. Retirer du feu et couvrir d'un papier d'aluminium. Laisser reposer pendant 5 minutes.

Servir les pavés de morue avec la sauce vierge à l'argousier, la courge rôtie et le risotto d'épeautre.

* Voir le tableau de substitutions à la page 25.

SAUMON EN PAPILLOTE AU POIREAU, POMMES DE TERRE AU FOUR ET YOGOURT AUX HERBES

4 PORTIONS

Pommes de terre au four

4 grosses pommes de terre, enveloppées dans du papier d'aluminium

Yogourt aux herbes

180 ml (¾ tasse) de yogourt grec nature

3 c. à soupe de crème sure

2 c. à café d'épices à poisson par Arnaud Marchand (voir « Nos bonnes adresses », page 25)

4 c. à café de vinaigre de cidre

2 ciboules (oignons verts) hachées finement

1 c. à soupe d'oignon blanc haché finement

2 c. à soupe de ciboulette hachée finement

Sel et poivre, au goût

Papillotes de saumon

4 pavés de saumon de 170 g (6 oz) chacun

4 c. à soupe d'épices à poisson par Arnaud Marchand (ou 4 jeunes pousses de sapin baumier)

2 blancs de poireau émincés

80 ml (⅓ tasse) de vin blanc

4 c. à café de beurre

Pommes de terre au four

Préchauffer le four à 180 °C (350 °F).

Cuire les pommes de terre de 75 à 90 minutes ou jusqu'à ce qu'elles soient tendres. Retirer du papier, faire une croix sur le dessus et presser délicatement la pelure pour faire sortir un peu de chair.

Yogourt aux herbes

Dans un bol, à l'aide d'un fouet, bien mélanger tous les ingrédients. Réserver au réfrigérateur.

Papillotes de saumon

Préchauffer le four à 200 °C (400 °F).

Découper 4 rectangles d'environ 30 cm x 40 cm (12 po x 15 po) dans du papier d'aluminium. Assaisonner les pavés de saumon avec les épices à poisson. Placer le poireau émincé sur le premier tiers de chaque rectangle, avec un peu de vin blanc. Déposer un pavé de saumon sur chacun, avec 1 c. à café de beurre. Replier le papier d'aluminium en deux sur le poisson et fermer hermétiquement la papillote. Cuire au four de 6 à 8 minutes.

Servir le saumon dans sa papillote, avec la pomme de terre nappée de sauce au yogourt.

À BOIRE !

FERME APICOLE DESROCHERS, BLIZZ 2013, HYDROMEL, CANADA (QUÉBEC), CODE SAQ 11219761, 17,55 $
Cette entreprise familiale de Mont-Laurier, dans les Laurentides, a remporté de nombreux prix pour ses excellents hydromels agrobiologiques. Élaboré selon les mêmes procédés que le vin, celui-ci tire à 12 % d'alcool et offre une complexité qui s'accorde parfaitement avec les saveurs du saumon et le fondant du poireau. Au nez, des arômes herbacés, du miel et des fleurs printanières. En bouche, il est gras, demi-sec, avec une bonne longueur. Servir à 10 °C.

ONGLET DE BŒUF, JUS DE VIANDE AU VINAIGRE DE CASSIS, GRATIN DAUPHINOIS DE PANAIS ET DE POMMES DE TERRE À LA VALÉRIANE, SALSIFIS RÔTIS

4 PORTIONS

Gratin dauphinois

250 ml (1 tasse) de lait

250 ml (1 tasse) de crème
à cuisson 35 %

2 c. à café d'ail haché finement

2 c. à café de sel

1 c. à café de poivre

3 branches de thym

3 feuilles de laurier

½ c. à café de racine de valériane

3 panais pelés et tranchés
à la mandoline

5 pommes de terre pelées
et tranchées à la mandoline

Jus de viande

3 échalotes émincées

2 gousses d'ail émincées

2 branches de thym

1 c. à soupe d'huile de canola

500 ml (2 tasses) de vin rouge

1 litre (4 tasses) de fond de veau

Vinaigre de cassis

Sel et poivre

Salsifis et échalotes rôtis

500 g (1 lb) de salsifis pelés et coupés
en bâtonnets

2 c. à soupe de beurre

2 échalotes moyennes pelées et
coupées en deux sur la hauteur

1 c. à soupe d'huile de canola

Onglet de bœuf

4 onglets de bœuf
de 180 g (7 oz) chacun

2 c. à soupe d'huile de canola

2 c. à soupe de beurre

4 gousses d'ail entières,
avec la pelure

4 branches de thym

Gratin dauphinois

Préchauffer le four à 180 °C (350 °F).

Dans une casserole, verser le lait et la crème, ajouter l'ail, le sel, le poivre, le thym, le laurier et la racine de valériane. Porter à ébullition à feu moyen-vif, puis réduire du tiers à feu moyen, ajouter le panais et cuire 10 minutes. Ajouter les pommes de terre et laisser mijoter 5 minutes après reprise du frémissement. Retirer le thym et le laurier.

Répartir uniformément dans un plat à gratin huilé et cuire 60 minutes ou jusqu'à ce que la pointe d'un couteau pénètre facilement dans le gratin. Le gratin peut aussi être préparé dans des plats individuels ; compter alors 40 minutes de cuisson.

Jus de viande

Dans une casserole, à feu doux, faire suer l'échalote, l'ail et le thym dans l'huile pendant 10 minutes. Augmenter le feu à moyen, déglacer avec le vin rouge et laisser réduire des trois quarts. Mouiller avec le fond de veau et laisser réduire jusqu'à consistance sirupeuse. Filtrer dans une passoire. Saler, poivrer et ajouter 1 c. à soupe de vinaigre de cassis par 250 ml (1 tasse) de jus réduit. Réserver au chaud.

Salsifis et échalotes rôtis

Préchauffer le four à 200 °C (400 °F).

Dans une poêle, à feu moyen, faire sauter les salsifis dans le beurre pendant 10 minutes. Ajouter les échalotes et cuire 5 minutes. Ajouter l'huile, saler et poivrer au goût. Réserver au chaud.

Onglet de bœuf

Saler et poivrer la viande. Dans une poêle, chauffer l'huile à feu vif. Ajouter le beurre et faire mousser. Déposer la viande dans la poêle, puis ajouter l'ail et le thym. Saisir la viande de 2 à 3 minutes de chaque côté ou jusqu'à ce qu'elle soit bien colorée. Retirer du feu et couvrir d'un papier d'aluminium. Laisser reposer 5 minutes.

Servir les onglets avec le jus de viande, le gratin dauphinois et les salsifis rôtis.

CUISSES DE CANARD AU VIN ROUGE, ÉCRASÉ DE TOPINAMBOURS AU FOIE GRAS ET HARICOTS RÔTIS

4 PORTIONS

Cuisses de canard

4 cuisses de canard

750 ml (3 tasses) de vin rouge

4 branches de thym

2 c. à café de poivre en grains

1 c. à café de baies de genièvre*

1 oignon haché

1 carotte hachée

1 branche de céleri hachée

2 c. à soupe d'huile de canola

750 ml (3 tasses) de fond de veau

Écrasé de topinambours

600 g (1 ⅓ lb) de topinambours pelés

200 g (7 oz) de beurre

90 g (3 oz) de terrine de foie gras coupée en petits dés

Sel et poivre

Haricots rôtis

700 g (4 tasses) de haricots verts parés

2 c. à soupe d'huile de canola

2 c. à soupe de beurre fondu

Cuisses de canard

Dans un grand plat, déposer les cuisses de canard, le vin rouge, le thym, le poivre, les baies de genièvre, l'oignon, la carotte et le céleri. Laisser mariner au réfrigérateur pendant 12 heures. Retirer les cuisses du plat, filtrer la marinade dans un tamis et conserver la garniture aromatique.

Préchauffer le four à 150 °C (300 °F).

Dans un faitout, à feu vif, faire revenir les cuisses de canard dans l'huile jusqu'à ce qu'elles soient bien colorées. Réserver sur une assiette. Dans le même faitout, à feu moyen-doux, ajouter la garniture aromatique et faire revenir pendant 5 minutes. Augmenter le feu à moyen-vif, déglacer avec la marinade et laisser réduire de moitié. Remettre les cuisses de canard dans le faitout, ajouter le fond de veau, couvrir et cuire au four de 90 minutes à 2 heures ou jusqu'à ce que la chair se détache de l'os. Retirer les cuisses de canard du faitout et réserver. Filtrer le jus de cuisson au tamis dans une casserole et, à feu moyen-vif, faire réduire de moitié. Saler et poivrer au goût. Réserver au chaud.

Écrasé de topinambours

Mettre les topinambours dans une casserole remplie d'eau froide et cuire, à feu moyen, jusqu'à tendreté. Écraser à la fourchette en ajoutant le beurre, un peu à la fois. Ajouter les dés de foie gras et mélanger délicatement pour ne pas les déformer. Saler et poivrer au goût. Réserver au chaud.

Haricots grillés

Préchauffer le four à 200 °C (400 °F).

Dans un bol, mélanger les haricots avec l'huile et le beurre fondu, puis saler et poivrer au goût. Déposer sur une plaque de cuisson recouverte d'un papier sulfurisé et rôtir au four de 10 à 15 minutes ou jusqu'à ce qu'ils soient tendres et commencent à colorer.

Servir les cuisses de canard avec la sauce, l'écrasé de topinambours et les haricots grillés.

* Voir le tableau de substitutions à la page 25.

À BOIRE !

COUDOULET DE BEAUCASTEL 2013, VIN ROUGE, FRANCE, CODE SAQ 00973222, 29,95 $
Ce vin charnu, aux tanins soutenus mais équilibrés, sera le complice rêvé de ces cuisses de canard. Typique des vins du sud de la vallée du Rhône, il présente une robe violette, avec des arômes de mûre, de cerise, de violette et de réglisse. En bouche, la cerise et la framboise sont complétées par un soupçon de cacao. C'est un vin qui a un excellent potentiel de garde, mais qui est prêt à boire si on le laisse s'ouvrir en carafe pendant une trentaine de minutes et qu'on le sert à une température de 18 °C.

MAGRETS DE CANARD LAQUÉS AU SUREAU, PILAF DE RIZ SAUVAGE, CHOUX DE BRUXELLES

4 PORTIONS

Pilaf de riz sauvage

1 oignon haché

2 gousses d'ail coupées en deux

2 c. à soupe d'huile de canola

500 g (1 lb) de riz sauvage canadien biologique

1,5 litre (6 tasses) de bouillon de légumes

2 branches de thym

2 feuilles de laurier

Sel et poivre

Choux de Bruxelles

500 g (4 tasses) de choux de Bruxelles parés et coupés en deux

2 c. à soupe d'huile de canola

Magrets de canard laqués au sureau

90 g (½ tasse) d'oignon haché

2 c. à soupe d'huile de canola

70 g (½ tasse) de baies de sureau*

250 ml (1 tasse) de fond veau

2 magrets de canard, parés

Pilaf de riz sauvage

Dans une casserole, à feu doux, faire suer l'oignon et l'ail dans l'huile pendant 3 minutes, sans les laisser colorer. Ajouter le riz sauvage et poursuivre la cuisson 5 minutes. Ajouter le bouillon, le thym, le laurier, du sel et du poivre, au goût, et augmenter le feu jusqu'à ébullition. Réduire à feu doux, couvrir et cuire de 45 à 60 minutes ou jusqu'à ce que le liquide soit absorbé et que le riz soit tendre. Réserver au chaud.

Choux de Bruxelles rôtis

Préchauffer le four à 180 °C (350 °F).

Dans un bol, mélanger les choux de Bruxelles avec l'huile, saler et poivrer au goût et déposer sur une plaque de cuisson recouverte d'un papier sulfurisé. Rôtir au four de 15 à 20 minutes. Réserver au chaud.

Magrets de canard laqués au sureau

Dans une casserole, à feu moyen-doux, faire revenir l'oignon dans l'huile pendant 5 minutes. Ajouter le sureau et laisser compoter de 5 à 10 minutes. Saler et poivrer au goût. Mouiller avec le fond de veau et faire réduire, à feu moyen-vif, jusqu'à consistance sirupeuse. Filtrer au tamis et réserver.

À l'aide d'un couteau bien aiguisé, inciser légèrement le gras des magrets en damier, sans toucher à la chair. Dans une poêle froide, placer les magrets côté gras et cuire à feu très doux de 10 à 15 minutes, en retirant l'excès de gras fondu au fur et à mesure. Lorsqu'il ne reste qu'une fine couche de gras sur les magrets, poursuivre la cuisson à feu vif et colorer d'abord le côté gras. Retourner les magrets et saisir le côté chair jusqu'à coloration. Ajouter la laque au sureau, retirer du feu et laisser reposer la viande de 5 à 7 minutes. La température idéale à cœur sera de 54 °C.

Servir les magrets de canard laqués avec le pilaf de riz sauvage et les choux de Bruxelles.

* Voir le tableau de substitutions à la page 25.

À BOIRE !

SILVIO GRASSO BARBERA D'ALBA, VIN ROUGE, ITALIE (PIÉMONT), CODE SAQ 11580080, 24,55 $

Cette importante région vinicole du nord de l'Italie produit quelques-uns des grands vins du monde. Ce vin élaboré avec le barbera, un cépage typique du Piémont, ravira même ceux qui ne raffolent pas des rouges et qui sont souvent rebutés par le côté tanique de certains vins. Celui-ci est fruité et riche à souhait, ce qui ne l'empêche pas d'être bien sec. C'est parce que le barbera est un raisin exubérant, avec la cerise et la prune qui prédominent et qui explosent en bouche. Le tout est équilibré par des notes florales (la violette) et légèrement boisées. Les tanins sont souples et le vin a une bonne longueur en bouche. Sa rondeur sera délicieuse avec le canard et sa laque au sureau.

ÉTAGÉ D'EFFILOCHÉ DE CERF ET D'ÉCRASÉ DE COURGE, JUS AU SAPIN BAUMIER

4 PORTIONS

Effiloché de cerf

800 g (1 ¾ lb) de viande de cerf à braiser

2 c. à soupe d'huile de canola

1 carotte coupée en cubes

1 branche de céleri coupée en cubes

1 oignon coupé en cubes

3 gousses d'ail hachées

500 ml (2 tasses) de vin rouge

1 litre (4 tasses) de fond de veau (du commerce)

2 branches de thym

1 goutte d'huile essentielle de sapin baumier*

4 échalotes hachées finement

1 c. à soupe d'huile de canola

Sel et poivre

Écrasé de courge

1 petite courge musquée (butternut) pelée et coupée en cubes

2 c. à soupe d'huile de canola

3 c. à soupe de beurre

Effiloché de cerf

Préchauffer le four à 150 °C (300 °F).

Dans un faitout, à feu vif, faire colorer la viande de cerf dans l'huile en plusieurs fois et réserver sur une assiette. Dans le même faitout, à feu moyen-vif, faire revenir la carotte, le céleri, l'oignon et l'ail pendant 3 minutes. Déglacer avec le vin rouge et laisser réduire des trois quarts. Ajouter le fond de veau et le thym, saler et poivrer au goût, puis porter à ébullition. Retirer du feu, ajouter le cerf, couvrir et cuire au four de 2 heures à 2 heures 30 ou jusqu'à ce que la viande se défasse à la fourchette. Retirer la viande du faitout et réserver sur une assiette.

Filtrer le jus de cuisson au tamis et verser dans une petite casserole. Faire réduire à feu moyen-vif jusqu'à consistance sirupeuse. Ajouter l'huile essentielle de sapin baumier. Effilocher la viande et mélanger avec un peu de jus de cuisson pour la garder juteuse. Saler et poivrer au goût et réserver au chaud.

Dans une petite poêle, à feu moyen, faire sauter les échalotes dans l'huile jusqu'à caramélisation. Ajouter au cerf effiloché.

Écrasé de courge

Préchauffer le four à 180 °C (350 °F).

Dans un faitout, mélanger la courge avec l'huile, saler et poivrer au goût. Couvrir et cuire de 30 à 45 minutes ou jusqu'à tendreté. Écraser légèrement à la fourchette avec le beurre et rectifier l'assaisonnement au besoin. Réserver au chaud.

Dressage

À l'aide d'un emporte-pièce, monter l'étagé en commençant par l'effiloché de cerf et en remplissant jusqu'aux trois quarts de la hauteur. Tasser légèrement la viande. Terminer avec l'écrasé de courge. Servir bien chaud, avec un peu de jus au sapin baumier.

* Voir le tableau de substitutions à la page 25.

À BOIRE !

DOMAINE DU RIDGE LE BÂTONNIER 2015, VIN ROUGE, CANADA (QUÉBEC), CODE SAQ 11633161, 17,95 $
À Saint-Armand, non loin de la frontière américaine, le très sympathique député fédéral de Brome-Missisquoi et ex-bâtonnier du Québec, Denis Paradis, a créé une véritable oasis consacrée à la découverte du vin. Durant la belle saison, il se fait un plaisir d'organiser toutes sortes d'activités d'initiation à la vigne et au vin. Planté de 50 000 plants hybrides sur 40 acres et produisant 75 000 bouteilles annuellement, c'est l'un des plus gros domaines vinicoles au Québec. Ce vin légèrement boisé, à base de maréchal foch, déborde de fruits rouges et possède des tanins souples. Ne pas hésiter à le servir autour de 15 °C pour mieux profiter de son côté gouleyant.

CEDAR CREEK ESTATE WINERY MERLOT 2012,
CANADA (COLOMBIE-BRITANNIQUE), CODE SAQ 12794451, 22,05 $
Situé dans un environnement spectaculaire, sur la rive est du lac Okanagan, en banlieue de Kelowna, ce domaine vinicole a une longue histoire axée sur la quête de perfection de son fondateur, le sénateur Ross Fitzpatrick. Aujourd'hui propriété d'Anthony von Mandl (Mission Hill), le vignoble s'est donné des moyens à la mesure de ses ambitions, sans pour autant renier sa philosophie d'origine (petits rendements, respect des sols, lentes maturations, etc.). Ce rouge généreux, qui évoque la prune confiturée, est doté de tanins équilibrés. Il sera le compagnon parfait de ce costaud mijoté de wapiti aromatisé au cassis. Servir autour de 18 °C.

MIJOTÉ DE WAPITI AUX CHAMPIGNONS DES SOUS-BOIS, MADÉRISÉ DE CASSIS, PURÉE DE POMMES DE TERRE ET PLEUROTES DU QUÉBEC

4 PORTIONS

Carottes rôties

2 carottes coupées en bâtonnets

1 c. à soupe d'huile de canola

Sel et poivre

Mijoté de wapiti

800 g (1 ¾ lb) de cubes de wapiti à braiser dans l'épaule

750 ml (3 tasses) de vin rouge

3 c. à soupe d'huile de canola

2 oignons hachés

3 gousses d'ail hachées finement

1 blanc de poireau émincé

2 sachets de 14 g chacun de champignons séchés

250 ml (1 tasse) de fond de veau (du commerce)

250 ml (1 tasse) de Madérisé de cassis Monna & Filles (voir « Nos bonnes adresses », page 25)

1 bouquet garni

Purée de pommes de terre

1 kg (2,2 lb) de pommes de terre Yukon Gold pelées

200 g (7 oz) de beurre fondu

125 ml (½ tasse) de lait

Pleurotes

2 c. à soupe d'huile de canola

200 g (7 oz) d'oignons perlés

400 g (13 oz) de pleurotes coupés en deux

1 échalote hachée finement

4 c. à soupe de beurre

4 tiges de ciboulette hachées finement

Carottes rôties

Préchauffer le four à 190 °C (375 °F).

Mélanger les carottes avec l'huile, saler et poivrer, et les déposer sur une plaque de cuisson recouverte de papier sulfurisé. Cuire au four de 40 à 45 minutes ou jusqu'à ce qu'elles soient colorées.

Mijoté de wapiti

Dans un grand plat, couvrir la viande avec le vin rouge et laisser mariner, à couvert, pendant au moins 12 heures au réfrigérateur. Égoutter la viande et réserver la marinade.

Préchauffer le four à 150 °C (300 °F).

Dans un faitout, à feu vif, faire colorer les cubes de wapiti, en plusieurs fois, dans l'huile. Réserver sur une assiette. Dans le même faitout, à feu moyen-vif, faire sauter les oignons, l'ail, le poireau et les champignons séchés pendant environ 8 minutes. Ajouter le wapiti, la marinade, le fond de veau, le Madérisé de cassis et le bouquet garni. Saler et poivrer au goût. Amener à ébullition à feu vif, puis retirer du feu, couvrir et cuire au four pendant 2 heures ou jusqu'à ce que la viande soit très tendre. Ajouter les carottes réservées dans le faitout 10 minutes avant la fin de la cuisson pour les réchauffer.

Purée de pommes de terre

Dans une casserole remplie d'eau froide, à feu vif, porter les pommes de terre à ébullition. Réduire le feu, couvrir partiellement et cuire de 20 à 30 minutes ou jusqu'à tendreté. Égoutter et réduire en purée.

Dans une petite casserole, chauffer le beurre et le lait jusqu'à frémissement. Verser sur les pommes de terre, mélanger délicatement et rapidement à la maryse pour éviter que l'amidon des pommes de terre ne se libère. Saler et poivrer au goût. Réserver au chaud.

Pleurotes

Chauffer une grande poêle à feu moyen-vif, ajouter l'huile et faire caraméliser les oignons pendant une dizaine de minutes. Ajouter les pleurotes et l'échalote et faire rôtir à feu vif pendant 8 à 10 minutes. Ajouter le beurre et la ciboulette, mélanger et retirer du feu. Saler et poivrer au goût.

Servir le mijoté de wapiti avec la purée de pommes de terre et les pleurotes.

GÂTEAU AU FROMAGE DU QUÉBEC
ET COULIS DE CHICOUTAI AU CIDRE DE GLACE

8 À 10 PORTIONS

Gâteau au fromage

130 g (1 ½ tasse) de chapelure
de biscuits Graham

90 g (½ tasse) de cassonade
légèrement tassée

4 c. à soupe de beurre salé, fondu

70 g (½ tasse) de farine

225 g (8 oz) de fromage à la crème
tempéré

115 g (4 oz) fromage à pâte molle
du Québec, tempéré

180 ml (¾ tasse) de crème sure

150 g (¾ tasse) de sucre

2 œufs tempérés

Coulis de chicoutai

500 g (4 ¼ tasses) de baies de
chicoutai* + 4 c. à soupe
(pour garnir)

125 ml (½ tasse) de cidre de glace

200 g (1 tasse) de sucre

1 c. à soupe de pectine

Gâteau au fromage

Préchauffer le four à 180 °C (350 °F).

Dans un bol, mélanger la chapelure de biscuits Graham et la cassonade. Ajouter le beurre fondu et bien mélanger. Ajouter la farine et remuer jusqu'à l'obtention d'un mélange uniforme. Dans un moule à charnière de 25 cm (10 po) ou une assiette à tarte munie d'un bord droit, presser le mélange uniformément. Cuire au four, sur la grille du milieu, pendant 8 minutes. Réserver à température ambiante.

Entre-temps, dans un bol, à l'aide d'une maryse, ramollir le fromage à la crème. Ajouter le fromage à pâte molle, la crème sure et le sucre, et mélanger jusqu'à l'obtention d'une consistance lisse. Ajouter les œufs, un à un, en prenant soin de ne pas incorporer d'air. Verser sur le fond précuit et cuire au centre du four pendant 15 à 25 minutes. Sortir du four et laisser reposer à température ambiante pendant 30 minutes. Réfrigérer au moins 4 heures, avant de démouler et de couper.

Coulis de chicoutai

Dans une casserole à fond épais, à feu moyen, porter la chicoutai et le cidre de glace à ébullition. Ajouter le sucre et la pectine. Bien mélanger et reporter à ébullition. Retirer du feu et réduire en purée au robot culinaire ou au mélangeur. Passer la préparation au tamis. Verser dans un bol, couvrir et laisser refroidir au réfrigérateur.

Dressage

Garnir le gâteau avec les baies de chicoutai et servir accompagné du coulis de chicoutai.

* Voir le tableau de substitutions à la page 25.

POMMES POÊLÉES, CARAMEL À L'ÉRABLE, CONFITURE DE CAMERISES ET TUILES À L'ÉRABLE

4 PORTIONS

Caramel à l'érable

180 ml (¾ tasse) de sirop d'érable

170 ml (⅔ tasse) de crème 35 %

2 c. à soupe de beurre salé coupé en dés

Confiture de camerises

75 g (⅓ tasse) de sucre

250 g (2 ½ tasses) de camerises*

2 ¼ c. à café de pectine

2 c. à soupe de vinaigre de cidre

Tuiles à l'érable

2 c. à soupe de beurre salé

2 ½ c. à soupe de sucre d'érable fin

2 c. à soupe de sirop d'érable

3 ½ c. à soupe de farine

Pommes poêlées

4 pommes pelées, épépinées et coupées en 8 quartiers

Caramel à l'érable

Dans une casserole, à feu moyen, chauffer la crème sans la porter à ébullition. Réserver.

Dans une autre casserole à fond épais, à feu moyen-vif, porter le sirop d'érable à ébullition sans remuer. Cuire jusqu'à ce qu'un thermomètre à bonbons indique 116 °C (240 °F). Retirer du feu immédiatement et verser la crème chaude, en filet, sans cesser de fouetter. (Attention aux éclaboussures !) Ajouter le beurre et mélanger au batteur électrique pour bien émulsionner le caramel. Réserver.

Confiture de camerises

Dans une casserole, à feu moyen, chauffer la moitié du sucre avec les camerises sans porter à ébullition. Dans un petit bol, mélanger le reste du sucre avec la pectine. Ajouter le sucre et la pectine au mélange de camerises. Porter à ébullition à feu moyen-vif, en remuant à l'occasion. Ajouter le vinaigre et maintenir l'ébullition pendant 1 minute. Réserver.

Tuiles à l'érable

Préchauffer le four à 180 °C (350 °F).

Faire fondre le beurre au four à micro-ondes. Ajouter le sucre d'érable et mélanger. Ajouter le sirop d'érable et mélanger. Terminer avec la farine et mélanger de nouveau. À l'aide d'une maryse, déposer de petites boules du mélange sur une plaque de cuisson recouverte de papier sulfurisé et étaler en cercles aussi minces que possible. Cuire au four de 6 à 8 minutes. Glisser le papier hors de la plaque et laisser les tuiles refroidir sur le comptoir. Détacher les tuiles délicatement du papier lorsqu'elles sont refroidies.

Pommes poêlées

Juste avant de servir, cuire les pommes dans une poêle à feu moyen-vif pendant 5 à 6 minutes ou jusqu'à ce qu'elles soient chaudes et dorées, mais encore fermes.

Dresser les pommes dans des assiettes creuses et servir avec la confiture de camerises, les tuiles et le caramel à l'érable. On peut aussi servir ces pommes poêlées « à la mode », c'est-à-dire avec une boule de crème glacée.

* Voir le tableau de substitutions à la page 25.

À BOIRE !

DOMAINE PINNACLE, COUREUR DES BOIS, CIDRE APÉRITIF, 375 ML, CANADA (QUÉBEC), CODE SAQ 11165353, 25,10 $
On aurait voulu inventer un alcool parfaitement adapté à ce beau dessert à la pomme et au caramel d'érable qu'on n'aurait pas pu faire mieux que cet excellent cidre créé par l'équipe de Charles Crawford, le propriétaire de ces beaux verger et cidrerie de Frelighsburg, en Estrie. D'une magnifique couleur ambrée, il a des arômes envoûtants de sucre brûlé, de même qu'une franche saveur d'érable et de pommes caramélisées. Une véritable fête pour le palais ! Servir à 8 °C pour profiter de son agréable acidité.

POUDING CHÔMEUR NORDIQUE À L'ARONIE

4 À 6 PORTIONS

Gâteau

56 g (2 oz) de beurre salé + 1 c. à café pour le moule

170 g (¾ tasse) de sucre

2 œufs tempérés

250 g (2 tasses) de farine

5 c. à café de poudre à pâte (levure chimique)

170 ml (⅔ tasse) de lait tiède

Sirop

250 g (1 ¼ tasse) de cassonade légèrement tassée

125 ml (½ tasse) de sirop d'érable

300 ml (1 ⅓ tasse) d'eau

4 c. à soupe de beurre non salé

Garniture à l'aronie

100 g (½ tasse) de sucre

250 g (2 ½ tasses) de baies d'aronie*

125 g (1 ¼ tasse) de bleuets

2 c. à café de pectine

2 c. à soupe de vinaigre de vin rouge

Gâteau

Préchauffer le four à 180 °C (350 °F).

Beurrer un moule carré de 20 cm (8 po). Dans un bol, à l'aide d'un batteur électrique, battre en crème le beurre et le sucre. Ajouter les œufs, un à un, sans cesser de battre.

Dans un autre bol, mélanger la farine et la poudre à pâte. Ajouter les ingrédients secs au mélange d'œufs, en battant bien. Une fois la préparation homogène, ajouter le lait, en filet, sans cesser de battre. Verser la pâte dans le moule et étaler uniformément.

Dans une casserole, à feu moyen-vif, porter la cassonade, le sirop d'érable et l'eau à ébullition. Ajouter le beurre et, à l'aide d'un fouet, mélanger jusqu'à ce qu'il soit fondu. Verser délicatement sur la pâte à l'aide d'une louche.

Cuire au four pendant 30 minutes ou jusqu'à ce qu'un cure-dent inséré au centre du gâteau en ressorte sec. Laisser refroidir pendant 30 minutes à température ambiante.

Garniture à l'aronie

Dans une casserole, à feu moyen, chauffer la moitié du sucre avec les baies d'aronie et les bleuets, sans porter à ébullition.

Dans un petit bol, mélanger le reste du sucre avec la pectine et ajouter au mélange d'aronie et de bleuets. Porter à ébullition à feu moyen-vif, en remuant à l'occasion. Ajouter le vinaigre et maintenir l'ébullition pendant 1 minute. Réserver.

Servir le pouding chômeur tiède, avec la garniture à l'aronie.

* Voir le tableau de substitutions à la page 25.

À BOIRE !

VIGNOBLE DU MARATHONIEN, VIDAL 2012, VIN DE GLACE 200 ML, CANADA (QUÉBEC), CODE SAQ 11745788, 33 $
Si vous avez envie de vous offrir un petit luxe inoubliable, essayez cette cuvée de vin de glace de l'un des domaines vinicoles québécois les plus primés dans le monde pour ses vins de vendanges tardives et ses vins de glace. On doit ce succès à l'expertise et à la passion de son propriétaire, Jean Joly, un ingénieur amoureux de course à pied. D'une belle teinte ambrée, on perçoit, au nez et en bouche, des notes d'abricot cuit et de caramel. D'une bonne acidité, il offre aussi une délicieuse fraîcheur. Servir très froid, à 4 °C.

TARTELETTES FINES AUX POMMES ET CRÈME LÉGÈRE À LA FLEUR DE MÉLILOT

4 À 6 PORTIONS

Crème légère à la fleur de mélilot

1 œuf

3 c. à soupe de fécule de maïs

65 g (⅓ tasse) de sucre

250 ml (1 tasse) de lait

1 pincée de fleur de mélilot*

2 c. à café de beurre non salé

8 c. à soupe de crème 35 %

Tartelettes fines

200 g (7 oz) de pâte feuilletée (du commerce)

1 œuf battu avec 1 c. à café d'eau (dorure)

4 pommes pelées, épépinées, coupées en deux, puis en tranches fines

2 c. à soupe de sucre

¼ c. à café de nard des pinèdes*

2 c. à café de beurre froid

Crème légère à la fleur de mélilot

Dans un bol, à l'aide d'un fouet, battre l'œuf, la fécule de maïs et le sucre jusqu'à homogénéité.

Dans une casserole, à feu moyen, chauffer le lait jusqu'à frémissement. Verser la moitié du lait chaud sur le mélange d'œufs et bien mélanger au fouet. Verser le mélange d'œufs et de lait dans la casserole et porter à ébullition à feu moyen, en brassant constamment. Ajouter la fleur de mélilot et le beurre et mélanger jusqu'à ce que le beurre soit bien incorporé. Verser dans un bol, déposer une pellicule plastique directement sur la crème pâtissière et laisser reposer au réfrigérateur pendant au moins 24 heures.

Le lendemain, juste avant de servir, sortir la crème pâtissière du réfrigérateur et la mélanger pour l'assouplir. Dans un bol, à l'aide d'un batteur électrique, monter la crème 35 % en pics fermes. Ajouter la crème fouettée à la crème pâtissière en pliant, jusqu'à ce que le mélange soit lisse.

Tartelettes fines

Préchauffer le four à 180 °C (350 °F).

À l'aide d'un rouleau à pâtisserie, abaisser la pâte à 0,5 cm (¼ po) et tailler en 4 rectangles égaux. Badigeonner avec la dorure. Déposer les pommes sur la pâte feuilletée en les faisant se chevaucher légèrement.

Dans un bol, mélanger le sucre et le nard des pinèdes et en saupoudrer les tartelettes. Déposer ½ c. à café de noisettes de beurre sur chaque tartelette. Cuire au four pendant 20 minutes ou jusqu'à ce que la pâte soit bien dorée. Réserver.

Servir les tartelettes accompagnées de crème légère à la fleur de mélilot.

* Voir le tableau de substitutions à la page 25.

* Voir le tableau de substitutions à la page 25.

À BOIRE !

VERGER PEDNEAULT LA GRANDE GLACE, MISTELLE DE POMME, CANADA (QUÉBEC), 375 ML, CODE SAQ 00733139, 22,55 $
Au fil des ans, Michel Pedneault, sa sœur Marie-Claire et son neveu Éric Desgagnés ont su tirer le meilleur de leur impressionnant verger de Charlevoix. Pour ce faire, Michel, œnologue, a développé des produits uniques, cidres et mistelles, à partir des pommes, prunes, poires et amélanches de ce domaine ancestral, qui raflent fréquemment les honneurs dans diverses compétitions. Avec ses arômes de pomme cuite et ses saveurs de caramel, cette mistelle est tout simplement exceptionnelle, avec juste ce qu'il faut de sucre et d'acidité pour mettre en vedette la tartelette fine aux pommes. Servir bien froid, autour de 4 °C.

INDEX

REMERCIEMENTS

La réalisation d'un livre est toujours le fruit d'un intense travail d'équipe. Nous tenons à remercier les partenaires suivants d'avoir facilité ce travail durant les séances de photo des recettes :

Polycor pour le prêt de tuiles.

L'Atelier du chef, pour sa vaisselle à la fois belle, durable et pratique.

Patrice Drouin et Chantal Lachance, de GESTEV, pour les accessoires.

Merci à notre géniale équipe de Chez Boulay bistro boréal, qui a pris la relève dans la bonne humeur pendant que nous étions occupés à créer ce livre ; un merci tout spécial à Érick Demers, sans qui rien de tout cela n'aurait pu être possible.

Merci à Anne-Louise Desjardins pour son coup de main, son amitié et ses suggestions.

À André-Olivier Lyra, dont le grand talent de photographe et la gourmandise nous ont permis de créer des images qui sont de purs bijoux !

Nous saluons le travail inspiré et professionnel de toute la joyeuse bande des Éditions de l'Homme, avec des remerciements particuliers à l'éditrice Isabel Tardif, à la directrice de la production graphique Diane Denoncourt, et à la directrice artistique Christine Hébert, de même qu'à leur équipe. Merci également à la directrice générale, Judith Landry, de nous avoir fait confiance.

Merci à nos conjointes, Sophie Marchand et Linda Therrien-Boulay, qui sont toujours là, avec amour et patience, pour nous appuyer, nous inspirer, nous guider et nous aider à réaliser nos projets.

Merci à nos familles pour leur affection qui nous donne des ailes.

Merci à nos associés de Chez Boulay et à nos partenaires du Manoir Victoria, avec qui nous cheminons harmonieusement dans cette belle aventure d'un bistro boréal.

Aux nombreux producteurs artisans qui transforment notre travail en partie de plaisir, et à notre fidèle clientèle, qui est la raison d'être de notre métier ; votre encouragement nous fait vraiment chaud au cœur !

ARNAUD MARCHAND et JEAN-LUC BOULAY

Suivez-nous sur le Web

Consultez nos sites Internet et inscrivez-vous à l'infolettre pour rester informé
en tout temps de nos publications et de nos concours en ligne. Et croisez aussi
vos auteurs préférés et notre équipe sur nos blogues !

EDITIONS-HOMME.COM
EDITIONS-JOUR.COM
EDITIONS-PETITHOMME.COM
EDITIONS-LAGRIFFE.COM

CET OUVRAGE A ÉTÉ ACHEVÉ D'IMPRIMER SUR LES PRESSES DE
IMPRIMERIE TRANSCONTINENTAL, BEAUCEVILLE, CANADA